CB124515

Dados de Catalogação na Publicação (CIP) Internacional
(Câmara Brasileira do Livro, SP, Brasil)

Balancin, Euclides Martins.
História do Povo de Deus / Euclides Martins Balancin.
– São Paulo: Paulinas, 1989.

ISBN 85-05-01091-4

1. Israel - História 2. Judeus - História
I. Título.

89-2248 CDD-933

Índices para catálogo sistemático:
1. Israel: História antiga 933
2. Judeus: História antiga 933

EUCLIDES MARTINS BALANCIN

HISTÓRIA DO POVO DE DEUS

EDIÇÕES PAULINAS

ep EDIÇÕES PAULINAS
TELEX (11) 39464 (PSSP BR)
Rua Dr. Pinto Ferraz, 183
04117 SÃO PAULO — SP
END. TELEGR.: PAULINOS

© EDIÇÕES PAULINAS — SÃO PAULO, 1989
ISBN 85-05-01091-4

APRESENTAÇÃO

O presente livro nasceu com o objetivo de contar às pessoas de hoje o nascimento e desenvolvimento do povo de Deus, seus erros e acertos, culminando com a encarnação do Filho de Deus em nossa realidade. A história aqui contada nasceu das mãos e do coração de alguém que conhece o suficiente o passado de Israel, a ponto de ousar escrever a história do Povo de Deus a partir de uma perspectiva nova e cativante.

De fato, "os historiadores não contam a história, porque preferem analisar e comprovar o que foi dito ou escrito pelo povo". O novo da presente obra está justamente no modo como é contada a História do Povo de Deus: a partir da organização e mobilização de grupos que desejam construir uma sociedade em que haja liberdade e vida para todos, e nessa luta, feita de acertos e erros, não se sentem sozinhos. Pelo contrário, vão se encontrando com Javé, o Deus aliado e companheiro, que deseja a seu povo o que ele mais procura: liberdade, terra e vida.

A preocupação do autor está continuamente voltada para o povo, como se sente, como reage, o que busca, porque foi esse povo quem construiu a história que temos diante de nós. Para tanto, os leitores são estimulados a ler a história com os olhos da fé, para que a mesma força que motivou o Povo de Deus do Antigo Testamento continue animando as lutas no hoje da nossa história.

Desejamos que este livro tenha a mesma aceitação obtida ao ser publicado no folheto BÍBLIA-GENTE de 1989. E que aprendamos, da experiência do passado, a amar a justiça que gera o mundo novo, com o qual todos sonhamos.

José Bortolini

ABREVIATURAS USADAS NESTE LIVRO

a.C.	Antes de Cristo
Am	Livro do profeta Amós
Br	Livro do profeta Baruc
Cf.	Conferir
d.C.	Depois de Cristo
Dt	Livro do Deuteronômio
Eclo	Livro do Eclesiástico
Esd	Livro de Esdras
Ex	Livro do Êxodo
Ez	Livro do profeta Ezequiel
Gn	Livro do Gênesis
Hab	Livro do profeta Habacuc
Is	Livro do profeta Isaías
Jo	Evangelho de São João
Jr	Livro do profeta Jeremias
Js	Livro de Josué
Jz	Livro dos Juízes
Lm	Livro das Lamentações
Mc	Evangelho de São Marcos
1Mc	Primeiro livro dos Macabeus
2Mc	Segundo livro dos Macabeus
Mq	Livro do profeta Miquéias
Ne	Livro de Neemias
Os	Livro do profeta Oséias
1Rs	Primeiro livro dos Reis
2Rs	Segundo livro dos Reis
Sb	Livro da Sabedoria
Sf	Livro do profeta Sofonias
Sl	Livro dos Salmos
1Sm	Primeiro livro de Samuel
2Sm	Segundo livro de Samuel

1. COMO É QUE VAMOS CONTAR A HISTÓRIA?

O povo conta a sua história

O povo não gosta de livros cheios de datas, documentos, explicações compridas, bibliografias. São muito complicados, usam palavras difíceis e técnicas, que provocam mais enfado do que estímulo. O povo está mais preocupado em valorizar e engrandecer os acontecimentos, e acha sem graça contar a história nua e crua. Prefere criar, contar "causos", fazer comparações, compor trovinhas, inventar cantos. A história na boca do povo se torna pintura, que não distorce a realidade, mas faz com que os acontecimentos ganhem vida.

O povo não precisa de estatísticas para saber que uma seca acabou com toda a lavoura da região; basta ouvir a história comovida de uma família que perdeu sua rocinha e ficou sem nada para comer. Ele se lembra por muito tempo de toda a grande catástrofe provocada por uma tromba d'água, contando que viu uma criança sendo arrastada pela enchente.

Esses são os documentos que o povo apresenta para transmitir a história e preservar a lembrança de seu passado.

O povo preserva a sua memória do seu jeito.

A Bíblia conta a história do jeito do povo

A maioria dos acontecimentos conservados na Bíblia são histórias contadas pelo povo e que foram passando de geração em geração. E sem a preocupação de que alguém um dia dissesse: "Isso não é histórico, porque não dá para provar que aconteceu assim mesmo". As partes mais difíceis de guardar e entender são justamente aquelas que foram retiradas, não da história do povo, mas de relatórios dos reis e conservadas em arquivos oficiais.

Tem outro dado importante para entender como a Bíblia conta a história: a certeza de que Deus está no meio de tudo isso, presente para conduzir o seu povo através dos tempos e lugares. Assim, uma chuva de pedra que ajuda a se safar do inimigo, é ação de Deus que protege; se a chuva de pedra estraga a plantação, é Deus que adverte sobre alguma coisa errada que está acontecendo no país.

A Bíblia, portanto, lembra o passado de maneira popular e, ao mesmo tempo, vê os acontecimentos como instrução de Deus, que liberta e corrige.

> "Povo meu, escuta a minha instrução,
> presta atenção no que eu vou dizer.
> Vou falar em comparações,
> vou expor enigmas do passado.
> Aquilo que nós ouvimos
> e aprendemos,
> o que nossos pais nos contaram,
> não vamos esconder a seus filhos.
> Nós contaremos para a geração futura
> os louvores do Senhor,
> seu poder e as maravilhas que realizou.
> De fato, ele estabeleceu uma norma para Jacó
> e uma lei para Israel:
> ordenou que os pais transmitissem isso para os filhos,
> para que a geração seguinte,
> os filhos que iriam nascer,
> conhecesse essas coisas.
> Levantem e contem isso aos seus filhos,
> para que eles confiem em Deus,
> não esqueçam os feitos de Deus
> e guardem seus mandamentos.
> Contem isso para que eles não sejam como seus pais,

> que foi uma geração desobediente e rebelde,
> geração de coração inconstante e que não era fiel a Deus"
> (Sl 78,1-8).

Os historiadores não contam a história

Os estudiosos preferem analisar e comprovar o que foi dito ou escrito pelo povo: ajuntam e separam documentos, comparam textos, escavam lugares para ver se encontram pelo menos uma pedra. Escarafuncham até onde podem. É bom isso? Tem o seu valor. O trabalho deles é importante, porque recolhem materiais dispersos, os colocam em ordem, para que a história fique organizada. Por vezes, até exageram: fazem montões de livros. Não vamos desprezá-los: eles podem ajudar, principalmente para a gente entender a história do povo de Deus que foi contada muito tempo atrás, escrita em língua diferente, em lugar distante e onde existia uma mentalidade própria.

E nós, como vamos contar a História do Povo de Deus?

Vamos estar atentos ao que o povo da Bíblia conta e, ao mesmo tempo, ver o que os estudiosos organizaram sobre o assunto. Vamos recorrer aos autores que ajudam a entender o pano de fundo daquilo que é contado na Bíblia. Portanto, narrar a História do Povo de Deus comprometido com o povo que a escreveu. Só assim a lembrança desses nossos antepassados na fé e na luta poderá nos ajudar a ter mais vida no presente.

2. MEU PAI ERA UM ARAMEU ERRANTE

O povo gosta de relembrar seu passado contando histórias de famílias. Nessas histórias, porém, conservam acontecimentos muito mais amplos, que não se referem somente a uma família, e sim a todo um grupo ou comunidade.

O povo da Bíblia faz a mesma coisa quando conta as histórias de Abraão, Isaac e Jacó. Quer mostrar os primeiros grupos que, mais tarde, reunidos com outros, formaram o povo de Israel. Para não esquecer esse começo, até enfeitam. O essencial, porém, está aí.

Tudo começa com gente inconformada

A história do povo de Deus se inicia com grupos que não suportam qualquer tipo de opressão. Deixam a segurança da qual poderiam gozar dentro ou ao redor das cidades, chamadas de *cidades-Estado*, onde trabalhavam como agricultores ou em outra profissão, e se tornam pastores. Preferem a vida de liberdade em regiões menos seguras, pois sabem que se ficassem dependentes dos mandões da cidade, teriam que aceitar um jogo de cartas marcadas, e que sempre perderiam e seriam oprimidos. Saem, deslocando-se de um lugar para outro, estabelecendo-se provisoriamente ao largo das cidades atrativas, mas opressoras, contra as quais procuram se defender mutuamente (cf. Gn 14,1-16). Ficam de fora, só se servindo das cidades quando conseguem tirar algum proveito, sem se submeter.

Quando aconteceu tudo isso?

É difícil dizer com clareza a época em que esses grupos rebeldes e avessos a sistemas opressores, isto é, quando Abraão, Isaac e Jacó começaram a se movimentar, até chegar na *terra de Canaã*. Provavelmente foram levas que se deslocaram em períodos diferentes. O povo da Bíblia não se preocupou em marcar datas, talvez nem mesmo soubesse direito. Os historiadores tentam achar uma data mais aproximada, mas cada um diz uma coisa: a data varia entre 1950 até 1300 antes de Cristo! O povo simplesmente conta histórias sobre as famílias de Abraão, Isaac e Jacó...

> **O QUE ERA UMA CIDADE-ESTADO?**
>
> Era uma cidade governada por um rei. Era independente, como se fosse um pequeno país, cercada de muralhas, para evitar as invasões dos inimigos. Tinha uma parte alta, chamada acrópole, onde ficava o palácio do rei, o templo, e onde morava a classe dominante, gente da elite. Na parte baixa ficava o mercado e o casario de gente mais pobre, como pequenos comerciantes, artesãos e pessoal de segundo escalão.
>
> Ao redor da cidade havia terras cultivadas por camponeses, que aí moravam em casas pequenas, desprotegidos, pois estavam fora das muralhas. O rei dava certa proteção com soldados, mas exigia em troca completa submissão. Com seu trabalho e lavoura esses camponeses sustentavam os grandes, que viviam na parte alta, pagando a eles tributo. Na maioria das vezes, sobrava para eles muito pouco da colheita e, por isso, viviam como escravos e numa situação miserável.
>
> Em Canaã, essas cidades-Estado faziam parte do império do Egito, e pagavam tributo ao Faraó. E os camponeses tinham também que arcar com parte desse tributo.

Até Deus é diferente

Os deuses das cidades ficavam nos templos, e eram adorados porque mantinham a ordem, deixavam as coisas como estavam, sem mudança nenhuma. Quem quisesse adorá-los, deveria aceitar o sistema. Os grupos rebeldes de Abraão, Isaac e Jacó tinham o seu próprio Deus. Para mostrar como era diferente dos ídolos das cidades, o povo passou a chamá-lo de "Deus de nossos pais", ou "Deus de Abraão, Isaac e Jacó". Não era um Deus preso no templo; ele estava sempre junto, por toda parte onde iam. Um Deus livre como eles: fora da cidade e sem compromisso com nenhum sistema estabelecido.

Estar unidos para se defender da exploração

Esses grupos, quando entram na terra de Canaã, procuram pastagens, uns ao sul, outros ao norte. As "famílias" de Abraão-Isaac escolheram o sul, e a de Jacó ficou mais ao norte. O povo se lembra desses grupos já unidos, mantendo laços de família. Mesmo que, muitas vezes, não fossem do mesmo sangue, tinham o mesmo objetivo, e isso fazia com que se considerassem irmãos.

É interessante notar também que, mesmo entre esses grupos, havia separações e brigas. Elas aconteciam quando um grupo queria ficar sob a dependência da cidade (leia a história de Abraão e Ló, em Gn 13); ou quando um grupo queria explorar o outro; então o explorado reagia, aproveitava o que podia e se afastava (cf. a história de Labão e Jacó, em Gn 29-31).

O mesmo território, onde se formou e se estabeleceu o povo de Deus, recebeu, em épocas diferentes, três nomes:
CANAÃ: antes que o povo de Israel se formasse. O território estava nas mãos dos reis das cidades-Estado, e fazia parte do império do Egito.
ISRAEL: quando os diversos grupos se uniram e se estabeleceram de maneira estável.
PALESTINA: quando outras grandes potências passaram a dominar a região. Ao contar a história do povo de Deus, nós vamos usar os nomes de acordo com esses períodos.

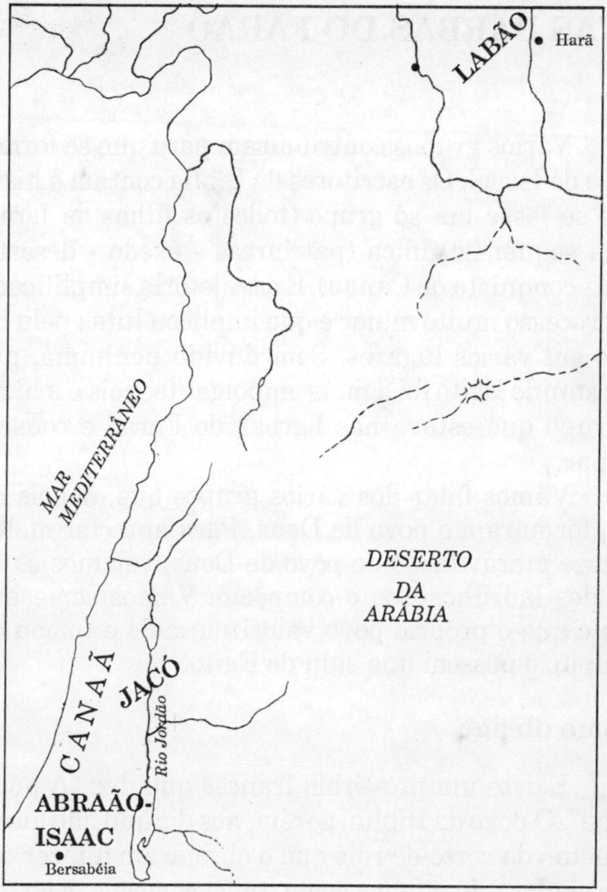

Contar a história com fé

O povo reconheceu que a conquista da terra de Canaã foi um dom de Deus. Eles repetiam, diante do sacerdote, como verdade de fé: "Meu pai era um arameu errante..." (Dt 26,4-5). Depois, contavam uns aos outros as histórias de Abraão, Isaac e Jacó...

Leia Gn 12-36.

3. NAS BARBAS DO FARAÓ

Vários grupos contribuíram para que se formasse o povo de Israel. Os escritores da Bíblia contam a história como se fosse um só grupo (todos os filhos de Israel) e numa seqüência única (patriarcas - êxodo - deserto do Sinai - conquista de Canaã). É a trajetória simplificada de um processo muito maior e que implicou lutas pela libertação em vários lugares. Sem dúvida nenhuma, a luta para sair do Egito foi a mais empolgante, pois é a história do grupo que esteve nas barbas do Faraó e conseguiu escapar.

Vamos falar dos vários grupos que, depois de se unir, formaram o povo de Deus. Para apreciar melhor o mosaico maravilhoso do povo de Deus, vejamos os detalhes dos ladrilhos que o compõem. Vamos começar por aquele que o próprio povo valorizou mais e tomou como exemplo: o pessoal que saiu do Egito.

A fome obriga

Existe um provérbio francês que diz: "A nobreza obriga". O povo da Bíblia, porém, nos diz que não foram as etiquetas da corte de reis que o obrigaram a fazer coisas indesejadas. Já vimos como tudo começou com gente inconformada com o sistema que vigorava em todo o império do Egito. No entanto, vamos encontrar esse pessoal indo para o Egito pedir auxílio para o Faraó. Por quê? Por causa da *fome* (cf. Gn 41,50-42,7). Em períodos de grande seca e carestia, muita gente ia para o Egito, onde esperava encontrar meios para sobreviver. Mais ou menos como hoje se busca as grandes cidades. Num período difícil de se determinar, uma dessas levas se estabeleceu na região de Gessen, no norte do Egito. Talvez ela tivesse sido ajudada por fatores políticos (cf. a História de José). Os egípcios chamavam esse pessoal de *hebreus* que, na época, significava gente sem origem definida, desordeiros e até subversivos.

O Faraó manda e não pede

Até que dava para ir tocando a vida aí na terra de Gessen, contanto que se obedecesse ao sistema do Faraó. A ocupação mais comum era cuidar das plantações junto ao rio Nilo. Na época das cheias, quando não dava para plantar, o Faraó ocupava a mão de obra para fazer construções públicas ou de seu interesse: diques, canais, monumentos, pirâmides, armazéns, palácios etc. Tudo funcionava segundo o *sistema tributário*, isto é, pagando impostos. Grande parte do que era produzido ia para o Faraó; aqueles que plantavam e colhiam ficavam mais empobrecidos, e a desigualdade era cada vez maior. Os hebreus não suportavam esse sistema, mas qualquer tentativa de revolta seria desobedecer à religião do Faraó.

Por volta de 1290-1224 a.C., o Faraó era Ramsés II. Ele resolveu construir uma cidade e armazéns aí na região de Gessen, onde trabalhavam os hebreus; era intransigente, e começou a exigir trabalhos cada vez mais forçados. Foi a gota d'água para os hebreus, que não suportavam esse sistema de dominação.

Escapando da escravidão

Moisés, um hebreu de nascimento, liderou a revolta contra essa opressão brutal. Educado na corte do faraó, não suportou a amargura que seus irmãos enfrentavam. Com Moisés e a união de outros líderes, os hebreus tentaram convencer o Faraó a deixar que saíssem, para buscar nova vida em outros lugares. Mas a mão-de-obra era muito importante para o Faraó terminar suas construções. O opressor nunca concede a liberdade. É preciso

lutar para consegui-la. Foi o que os hebreus fizeram: forçaram o Faraó de muitas maneiras e realizaram muitos estragos, até que conseguiram escapar, deixando o Faraó inconformado. Este tentou ainda impedir que os hebreus fossem embora, mas eles conseguiram atravessar águas e pântanos e fugir para o deserto. Alguns o Faraó até acabou expulsando. Parece tão simples, mas sabemos como é difícil escapar das garras do opressor! Essa gente um dia havia chegado aí, empurrada pela carestia e fome. Mas sempre preservou o ideal de vida livre e igualitária. A escravidão despertou neles esse ideal adormecido: lutaram e escaparam. Isso será lembrado de geração em geração como um fato grandioso.

Contar a história com fé

O Egito tinha seus deuses, que mantinham as coisas como o Faraó desejava. Os hebreus não podiam adorar esses deuses, porque não queriam as coisas como estavam. Eles adoravam outro Deus: o *Deus dos hebreus* (cf. Ex 3,16-20). Ele estava presente e foi o grande vencedor. Nada foi feito sem ele. Realizou coisas maravilhosas, tirando-os da opressão. Tudo foi conseguido com luta, mas essa luta teria dado em nada se o Deus dos hebreus não estendesse seu braço e sua mão forte. Esse Deus é o mesmo que sustentava o ideal de liberdade dos patriarcas. O Deus de Abraão, Isaac e Jacó é o mesmo que o Deus dos hebreus.

Leia na sua Bíblia:
Gn 41,50-42,7: A fome;
Gn 37-45: A História de José;
Ex 1-13: Opressão e libertação.

4. NO DESERTO

Já vimos o primeiro quadro do grande mosaico da libertação e formação do povo de Deus. Agora vamos ver a segunda peça desse mosaico e como ela se uniu à primeira.

Aprendendo a participar

Conforme a Bíblia, Moisés fugiu para a terra de Madiã, onde se encontrou com um sacerdote, se casou com a filha dele e passou tempos ajudando o sogro a criar carneiros (Ex 2,11-22; 3,1). Esse mesmo sacerdote (ora chamado de Jetro ou Ragüel, ora de Jobab) não apoiava a opressão do Faraó e se alegrou com a libertação dos hebreus (Ex 18,1-12); foi ele quem ensinou a Moisés uma forma mais participativa de poder, para que não ficasse tudo nas mãos de uma única pessoa (Ex 18,13-27). Portanto, esse grupo do deserto, representado por Jetro, dá uma grande contribuição para o processo de uma sociedade participativa e fraterna. Mas não foi só essa contribuição dada por esse grupo.

O grande segredo da liberdade

Foi aí no deserto, longe das cidades e do centro do poder egípcio, que Moisés teve a experiência de um Deus diferente, único, chamado *Javé*. Um Deus que era adorado na montanha (Ex 3,2) conhecida por nós como monte Sinai. Até hoje ninguém sabe direito onde fica esse monte.

Dizer o significado do nome Javé é muito difícil. É um segredo guardado a sete chaves. Existem muitas interpretações: "Aquele que é", "Ó Aquele", "Aquele que sou", "Aquele que faz ser", "Aquele que está ou estará" etc. Mas nenhuma delas convence. Javé é um nome enigmático! Ninguém consegue decifrar o nome do Deus que une

os grupos que lutam contra todo tipo de opressão e que desejam construir uma sociedade fraterna e justa. O Deus, que vai sair da montanha e acompanhar o grupo no deserto para a terra de Canaã, será sempre um desafio para aqueles que querem tê-lo nas mãos, a fim de descobrir ou destruir o segredo dos camponeses e pastores que encontraram força suficiente para lutar e vencer os poderosos. Um segredo que ficou escondido lá na "sarça ardente" (Ex 3,2-15). O segredo do nome divino é o segredo da própria liberdade.

Javé é o Deus dos hebreus

Os deuses do Faraó sustentavam e aprovavam a situação que vigorava no Egito. Querer mudar o sistema era ofender esses deuses. Portanto, qualquer outro Deus que defendesse alguém que não obedecia ao Faraó devia ser rejeitado (Ex 5,1-4). Javé, Deus dos hebreus, é para o opressor um Deus subversivo que não pode ser admitido.

Existem aqueles que preferem a escravidão!

A caminhada pelo deserto é a dura luta para manter-se livre e não ser de novo oprimido. Tomando como modelo o grupo que escapou do Egito, a Bíblia conta como a insegurança, a pressão dos dominadores e a falta de bens de consumo fazem com que muitos queiram desistir. São aqueles que preferem ter a segurança do opressor, mesmo que para isso continuem escravos. Então criticam e procuram desfigurar o processo de libertação (cf. Ex 14-17).

Ler a história com fé

Unindo o grupo que escapou do Egito e o grupo do deserto, o povo da Bíblia vê todos os acontecimentos comandados por Javé, o Deus dos hebreus. A luta para sair do Egito (ver a história das pragas, passagem do mar Vermelho), conseguir manter as necessidades básicas (maná, codornizes), tudo é obra maravilhosa da ação de Javé na história ao lado dos oprimidos. Essa história deve ser celebrada na liturgia e contada de pai para filho (Dt 26,4-10).

Leia na sua Bíblia:

Ex 2,11-22; 3,1: Moisés na casa de Jetro, seu sogro;
Ex 18,1-12: Jetro se alegra com a libertação dos hebreus;
Ex 18,13-27: Forma participativa de poder;
Ex 3,2: Javé, Deus adorado na montanha;
Ex 14-17: Críticas à libertação;
Dt 26,4-10: Memória da libertação.

5. NAS MONTANHAS

Os *hebreus* do Egito e os *seminômades* do deserto do Sinai se encontrarão com outros grupos que, juntos, vão formar o povo de Deus.

Um grupo, que podemos destacar, vive na própria terra de Canaã. São agricultores *inconformados* com a situação em que viviam. Dependentes das cidades-Estado, se tornam cada vez mais empobrecidos e chegam à condição de miséria. Obrigados a trabalhar no campo para sustentar gente da cidade, necessitam ceder quase

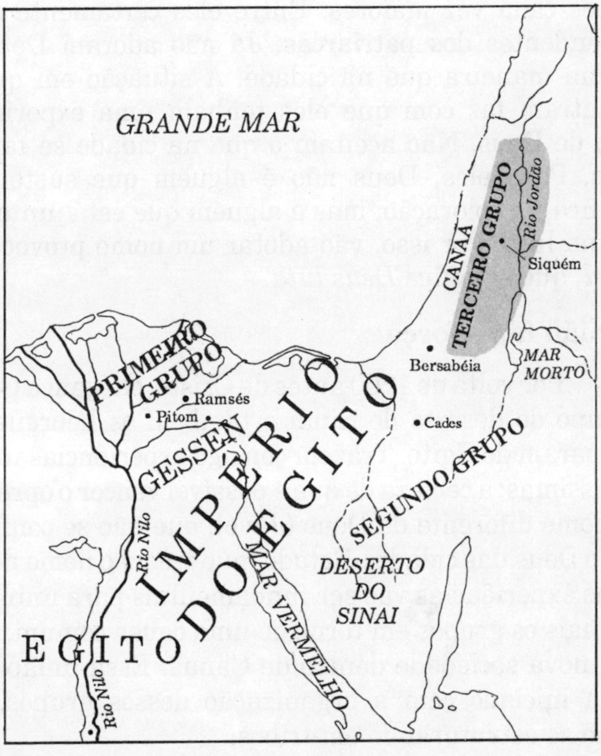

toda a produção para poder pagar os pesados impostos exigidos pelo rei e pelo Faraó.

Para escapar dessa situação, muitos camponeses se refugiam na região montanhosa, onde as cidades não têm controle, pois a maioria delas ficava nas planícies. Habitando nas montanhas, esses camponeses conseguem se livrar da vigilância e perseguição, principalmente dos carros de guerra. Aí começam a derrubar matas, fazer o plantio para sobreviver e também se organizam socialmente.

Deus presente na luta

Na região montanhosa e lugares afastados das cidades, lavradores, pastores e imigrantes se reúnem em grupos cada vez maiores. Entre eles certamente estão descendentes dos patriarcas. Já não adoram Deus da mesma maneira que na cidade. A situação em que se encontram faz com que eles tenham uma experiência nova de Deus. Não aceitam o que na cidade se fala de Deus. Para eles, Deus não é alguém que sustenta e justifica a exploração, mas é alguém que está junto com eles na luta. Por isso, vão adotar um nome provocador: *Israel*, que significa *Deus luta*.

A união faz a força

Por volta de 1200 antes de Cristo, chegam a Canaã o grupo do deserto do Sinai e também os hebreus que escaparam do Egito. Trazem consigo experiências importantíssimas: a certeza de que é possível vencer o opressor, e o nome diferente de Deus (Javé), que não se confunde com o Deus das cidades-Estado (que trazia o nome de El). Essas experiências vão ser fundamentais para unir cada vez mais os grupos em torno de uma causa comum: criar uma nova sociedade dentro de Canaã. Essa união já se havia iniciado com a organização desses grupos, que foram se estruturando em tribos.

O QUE É TRIBO?

A *tribo* é uma organização social composta por famílias agrupadas em *associações protetoras*, a fim de se ajudarem economicamente umas às outras, se defenderem dos ataques inimigos e praticar a religião.

A *família* é composta de 40 a 50 pessoas, compreendendo os pais, filhos, tios, primos e parentes, que vivem em casas vizinhas. O chefe é o pai ou avô (ancião), que decide as questões, funciona como sacerdote, arruma casamento para as jovens etc. Todas as pessoas que pertencem à família (chamada *casa do pai*) são tratadas como *irmãos*.

A *associação protetora*, composta de umas 50 famílias, é coordenada pelos chefes de família. Essa associação presta auxílio às famílias que, por algum motivo, passam dificuldades econômicas; reúne pessoal para defender a região onde moram; organiza celebrações religiosas e festas comuns, e realiza acordos matrimoniais.

Essas famílias e associações, com experiências comuns de opressão e luta, se unem em uma entidade mais ampla chamada *tribo*, e vivem em região separada por causa do terreno ou floresta, onde exercem ocupações agrícolas e pastoris. A tribo também realiza assembléias, festas; decide fazer guerra ou acordo de paz, resolve questões jurídicas, faz distribuição fraterna da produção anual etc. Essas experiências comuns fazem com que as pessoas da mesma tribo se considerem *irmãos* e, por isso, procuram encontrar um antepassado comum a todos eles, mesmo que precise ser inventado.

É interessante comparar a organização da tribo com a organização da cidade-Estado (cf. acima, p. 11).

Contar a história com fé

Essas terras desbravadas e lavradas são fruto de um trabalho contínuo e árduo. O povo da Bíblia, porém, não atribui nenhum mérito para si, mas acredita firmemente que tudo é dom de Deus, que concede a terra se eles forem fiéis ao projeto de uma sociedade fraterna e justa.

Leia Dt 30,15-20.

6. O POVO DE ISRAEL

Povo unido jamais será vencido

Enquanto nas montanhas de Canaã se processa a formação e união das tribos, na planície as cidades-Estado começam a entrar em sérias dificuldades. O Egito não envia mais tropas regulares para manter a ordem. Contenta-se em receber os impostos. Os reis das cidades de Canaã fazem guerras contínuas entre si para tomar o território do outro, deixando muitas vezes as cidades destruídas.

Esse ambiente de desordem política é momento oportuno para que os camponeses refugiados nas montanhas readquiram as terras mais férteis da planície, das quais eles se haviam retirado para escapar da exploração. Mas para que isso aconteça, é necessário que algo ou alguém os faça bem unidos e lhes dê coragem suficiente. E essa coesão e coragem nascem justamente da religião: Javé, o Deus do deserto, o Deus dos hebreus que venceu os deuses do Faraó, é também mais poderoso que os deuses cananeus. Por isso, há possibilidade de lutar e vencer. Animados em Javé, os grupos unidos descem das montanhas e conquistam cada vez mais a região da planície e até cidades (ler Js 6-12).

Entretanto, esses grupos necessitam de uma organização mais ampla. Não basta conquistar terras e cidades, mas é preciso saber o que fazer com elas.

Uma nova sociedade

A grande preocupação das tribos era não criar entre elas a mesma opressão que tinham sofrido. Foi, então, organizada uma *liga* ou *confederação* das tribos para que pudesse nascer e tornar-se viável um sistema diferente de sociedade. Através de *assembléias*, adultos de todas as tribos se reuniam periodicamente para adorar Javé, o Deus libertador, e para produzir normas orientadoras, elaborar e promulgar leis, fazer repartição igualitária das terras. Instituíram juízes para uniformizar as leis de cada tribo e que poderiam servir também para as outras, e para julgar os casos pendentes. As decisões eram tomadas em assembléia, tanto a nível religioso, como político e econômico. Formou-se, assim, aquilo que costumamos chamar de *Confederação das Doze Tribos de Israel.*

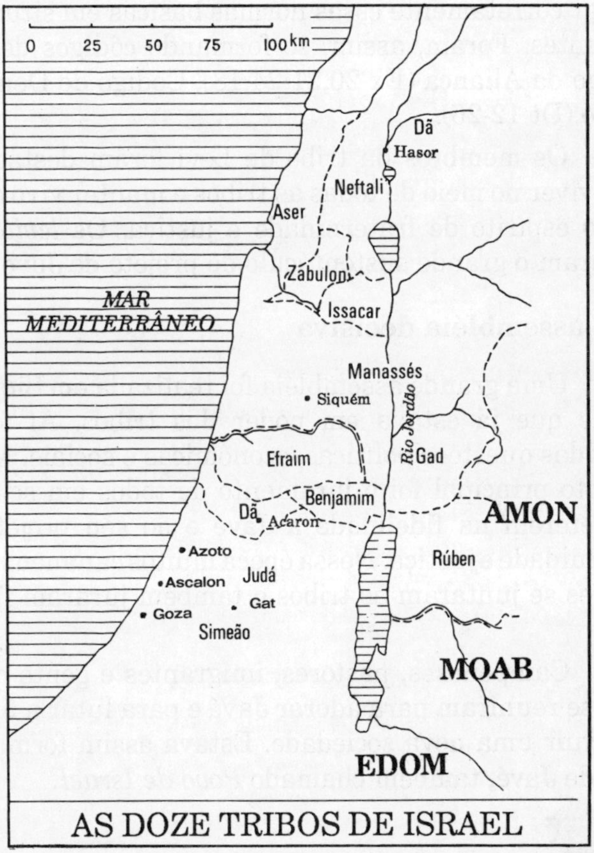

AS DOZE TRIBOS DE ISRAEL

Uma nova Constituição

Como vimos, as Doze Tribos tinham como elo fundamental de união o culto a Javé. As normas básicas, que darão o alicerce para esse novo povo, estão contidas no *Decálogo*, que se tornou uma verdadeira Constituição para o povo de Deus (leia Ex 20,1-17; Dt 5,1-22). Centrada no respeito à vida (Não matar), essa Constituição abre-se como um leque para todas as relações sociais, dando os fundamentos básicos e provocadores de vida para o povo. No correr do tempo, foi necessário elaborar leis para aplicar corretamente essas normas básicas em situações diferentes. Foram, assim, se formando códigos de leis: Código da Aliança (Ex 20,21-24,18), Código do Deuteronômio (Dt 12-26).

Os membros da tribo de Levi foram destacados para viver no meio de todas as tribos e manter vivo entre elas o espírito de fraternidade e justiça. Os *levitas* se tornaram o grande sustentáculo do projeto de Javé.

Uma assembléia decisiva

Uma grande assembléia foi realizada em Siquém, cidade que já estava em poder das tribos. Aí foram decididas questões políticas, econômicas e sociais. Mas o assunto principal foi o juramento de todos em se comprometerem na fidelidade a Javé e ao seu projeto de fraternidade e justiça. Nessa época muitos cananeus e até cidades se juntaram às tribos e também juraram fidelidade.

Camponeses, pastores, imigrantes e gente da cidade se reuniram para adorar Javé e para lutar a fim de construir uma nova sociedade. Estava assim formado o povo de Javé, também chamado *Povo de Israel*.

Contar a história com fé

O povo da Bíblia fala dessa época com orgulho, entusiasmo e com uma certeza: tudo isso aconteceu porque Javé, o Deus libertador, estava com eles. Mesmo as vitórias nas lutas mais difíceis, eles não atribuem às suas próprias forças, pois nem exército formado tinham. Toda luta era uma *guerra santa*, cujo comandante era o próprio Javé. As leis formuladas para regulamentar a sociedade justa não eram leis puramente humanas, mas do próprio Javé. Enfim, todo projeto de partilha e fraternidade veio das mãos de Javé: era o PROJETO DE JAVÉ.

7. IDEAL E REALIDADE

O sistema das Doze Tribos de Israel procurava aplicar para a vida prática os ideais que o povo tinha proposto para si: participação, partilha, fraternidade, justiça, liberdade. Opunha-se valentemente ao sistema de tributos, que funcionava nas cidades-Estado, pois foi dentro desse sistema que tinha sofrido exploração e opressão. Contudo, o ideal mais bonito do mundo não funciona se não tiver condições reais para se manter e se a corrupção começar a aparecer dentro do sistema. Em outras palavras, não basta ter boa vontade. A Confederação das Tribos de Israel começa a enfrentar sérios *obstáculos* para que o ideal se tornasse cada vez mais realidade:

• Muitas cidades-Estado continuavam existindo e exercendo o sistema de exploração. Procuravam de todas as maneiras desmantelar as tribos através da vigilância das estradas, do comércio e a manutenção de exércitos com carros de guerra. Se os camponeses levavam vantagem nas montanhas, agora nas planícies eram muito mais vulneráveis. Por isso, a vitória conseguida sob a liderança de Débora e Barac sobre Sísara, da cidade-Estado de Hasor, é contada como um grande acontecimento (leia Jz 4-5). Mas nessa história já se nota outro problema: nem todas as tribos se interessaram em lutar. Algumas, cujos territórios não estavam implicados, não atenderam à convocação.

• Vindo pelo mar, outro povo se estabeleceu na costa da terra de Canaã, na mesma época em que chegaram os hebreus do Egito: os *filisteus*. Militarmente fortes, eles possuíam armas de ferro e carros de combate. Formaram uma espécie de coligação, compreendendo cinco cidades no litoral e na planície a sudoeste: Azoto, Ascalon, Gaza,

Gat e Acaron. Viviam em conflito cada vez mais intenso com as Tribos de Israel, procurando estender seu domínio pelo interior, de modo que as tribos da região começavam a depender deles política e economicamente. Conquistando pontos estratégicos, por volta de 1050 a.C., os filisteus deram um golpe fatal, apoderando-se até da arca da aliança. As tribos sentiram-se ameaçadas na sua existência, mas não encontraram meios aptos para reagir, pois não possuíam exército organizado.

• Enquanto os filisteus atacaram do lado do mar, os *países vizinhos* do lado do deserto também se aproveitaram para fazer incursões e conquistar territórios das tribos. O livro dos Juízes retrata bem as dificuldades que os israelitas enfrentaram para deter o avanço dos edomitas, moabitas, madianitas, amonitas e outros.

• Além de todos esses problemas externos, com muita probabilidade, a corrupção da justiça gerou uma *crise interna* na Confederação das Tribos. Nesse aspecto, o caso dos filhos de Eli (leia 1Sm 2,12-25) revela a presença de ganância e corrupção, que começara a se espalhar.

• Outro fator interno que provocou o enfraquecimento da Confederação foi a *idolatria*. O grande elo que unia as tribos era a aceitação de Javé, o Deus libertador, como o Deus único. Essa coesão foi rompida pela adoração de outros deuses que, segundo os cananeus, davam a fertilidade para a terra, principalmente o deus Baal. A agricultura era a base econômica da sobrevivência, e o ciclo normal das chuvas era fundamental para a produção. Como Javé estava mais ligado à libertação histórica do que à preservação do ciclo da natureza, as divindades cananéias voltaram de novo a povoar a religião dos israelitas. Desse modo, a mentalidade dos opressores contaminou os ideais dos camponeses. A desagregação religiosa caminhou para a desagregação política e ideológica.

Ler a história com fé

Ao reler a sua história, o povo da Bíblia procura explicar por que o ideal de fraternidade e justiça de uma comunidade participativa e original não pôde ser levado adiante. Com os olhos da fé, enxergam o fracasso como castigo de Deus, por causa da desobediência ao seu projeto. Quebrada a Aliança com o único Deus que dava forças para levar em frente o projeto, surge a necessidade de buscar outro tipo de segurança (leia Jz 2,2-23; 3,1-6).

8. QUEREMOS UM REI!

Diante da pressão externa dos filisteus, países vizinhos e cidades-Estado, e diante da crise interna provocada pela corrupção e idolatria, algumas tribos sentiram a necessidade de um governo forte que administrasse a justiça e formasse um exército permanente para lutar contra os inimigos. Surgiu, assim, a idéia de ter um rei "como as outras nações" (1Sm 8,1-9). Essa opção, porém, não foi feita sem sérios conflitos: às vantagens de um governo centralizado e forte se opõem sérios riscos e concessões.

O QUE É MONARQUIA

A palavra *monarquia* quer dizer "governo de uma só pessoa", isto é, do rei. Ele possui toda a autoridade em suas mãos. É ele quem faz as leis que devem ser observadas e, ao mesmo tempo, é o juiz que decide e dá a sentença. O rei é chamado de "pai da nação", e é considerado como o representante de Deus na terra. As suas decisões são as decisões do próprio Deus.

Quando um rei morre, ele é substituído no poder por um de seus filhos. Essa sucessão de pai para filho no trono chama-se *dinastia*. Assim, uma só família se perpetua no governo do país, a não ser que haja revolta; e então começa a governar outra família ou dinastia. A *dinastia de Davi* foi a que mais durou em Israel.

A cidade na qual o rei mora se torna a capital do país. Aí fica o *palácio* real, a *corte*, isto é, a família real e os administradores, ministros, oficiais. É também nessa cidade que é construído o templo principal ou único, para indicar que Deus está sempre perto do rei, que é seu representante.

O direito do rei

A autoridade política não possui só direitos, mas também deveres em relação ao povo que governa. No *contrato* com o povo, o rei tinha obrigação de defender o país dos inimigos opressores e fazer que a justiça fosse implantada na prática. Em troca, era necessário que o povo sustentasse o exército e um aparelho burocrático administrativo. Como manter isso? Através de impostos. Esse sistema chama-se *tributário*, isto é, sustentado através de pagamento de tributos. Nesse sistema a sociedade se divide: de um lado, aqueles que produzem e pagam; de outro, aqueles que não exercem nenhuma atividade economicamente produtiva e vivem às custas dos que produzem. Se o grupo não produtivo exercesse sua função com seriedade e equilíbrio, poderia ser mantido. Acontece que é fácil gastar em proveito próprio o dinheiro adquirido com o suor alheio. E a tendência infalível é o acúmulo de riquezas e mordomias na classe que não trabalha, e o crescente empobrecimento daqueles que trabalham e pagam impostos. Tudo isso entrou no debate entre os israelitas, antes de ser escolhido um rei (leia com atenção 1Sm 8,10-22).

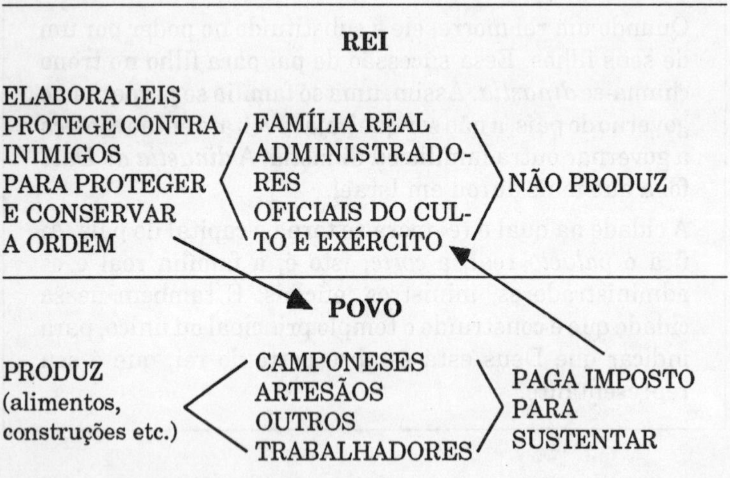

Ler a história com fé

Javé apresenta a seu povo o projeto de vida e a sociedade que ele deseja, capaz de expressar o anseio de todos. Deus, porém, não impõe, nem determina qual o sistema econômico e o regime político que possa fazer funcionar na prática o ideal de liberdade e justiça para todos. Cabe ao povo escolher, dentro das circunstâncias históricas, o sistema e regime que expressem melhor o ideal de sociedade justa. Por isso, quando o povo escolhe a monarquia para superar as dificuldades que enfrentava, Javé diz a Samuel: "Satisfaça a vontade deles e coloque no trono um rei para eles" (1Sm 8,22).

Para refletir

Nesse momento da história do povo de Deus, é importante darmos uma parada e refletir em conjunto sobre algumas perguntas: Qual o sistema que concretiza melhor o projeto de fraternidade, participação e justiça: a Confederação das Doze Tribos ou a Monarquia? Por quê? Hoje esses sistemas e regimes não funcionam mais. Existem outros. Quais são? Qual é o que mais se aproxima do ideal do projeto de Javé? É possível criar um sistema novo? É melhor uma autoridade forte, para a qual delegamos o poder, ou um governo participativo? Quais as vantagens e desvantagens de um e de outro?

9. UMA ESCOLHA DIFÍCIL E DISCUTIDA

A situação exige resposta urgente

A pressão dos inimigos exigia do povo de Israel uma atitude rápida e responsável. A primeira tentativa de resposta ao problema se concentra nas tribos do centro: Benjamim e Efraim, acompanhadas pela tribo de Gad, que ficava do outro lado do rio Jordão. Começa então a procura de um líder que possa reunir e organizar o povo com firmeza para derrotar os inimigos, principalmente os filisteus. Já vimos que uma das obrigações do rei era defender o povo dos ataques externos, mas não era sua única obrigação. Ainda não se trata de criar uma monarquia com todo o aparato que esse regime exige. Por enquanto, é urgente encontrar um chefe carismático que tenha ascendência sobre a maior parte das tribos.

Uma eleição diferente

Três histórias da Bíblia contam como Saul, da tribo de Benjamim, foi escolhido para ser o seu chefe.

1. A primeira, bastante pitoresca (leia 1Sm 9,1-10,8), fala de escolha por *unção*: "Então Samuel pegou uma vasilha de óleo, e o derramou sobre a cabeça de Saul. Depois o beijou e disse: 'Javé ungiu você para ser chefe sobre Israel, o povo dele. Você governará o povo e o libertará dos inimigos vizinhos' " (1Sm 10,1). Essa atribuição sagrada à autoridade é ambígua, ou seja, pode levar a caminhos diferentes: ou a autoridade se compromete e é fiel ao projeto de sociedade justa e fraterna, ou ela atribui para si poderes divinos e aproveita disso para oprimir o povo em vista de seus interesses. Essa ambigüidade está bem expressa na Bíblia, quando Javé não se compromete com a escolha: "Se é isso que querem, estabeleça um rei para eles" (1Sm 8,22).

2. A segunda história (leia 1Sm 10,9-27) narra a escolha de Saul por *sorteio*: "Samuel convocou todas as tribos de Israel, e foi sorteada a tribo de Benjamim... E Saul, filho de Cis, foi apontado no sorteio... E todo o povo começou a aclamar, gritando: 'Viva o rei!' " (1Sm 10,20-24). Para nós, é estranha essa forma de escolher o governante no par ou ímpar. Entretanto, a sorte tirada através de um ritual sagrado era para eles a expressão da vontade de Deus a respeito de um assunto que não podia ser resolvido por decisões humanas. Essa história tende a

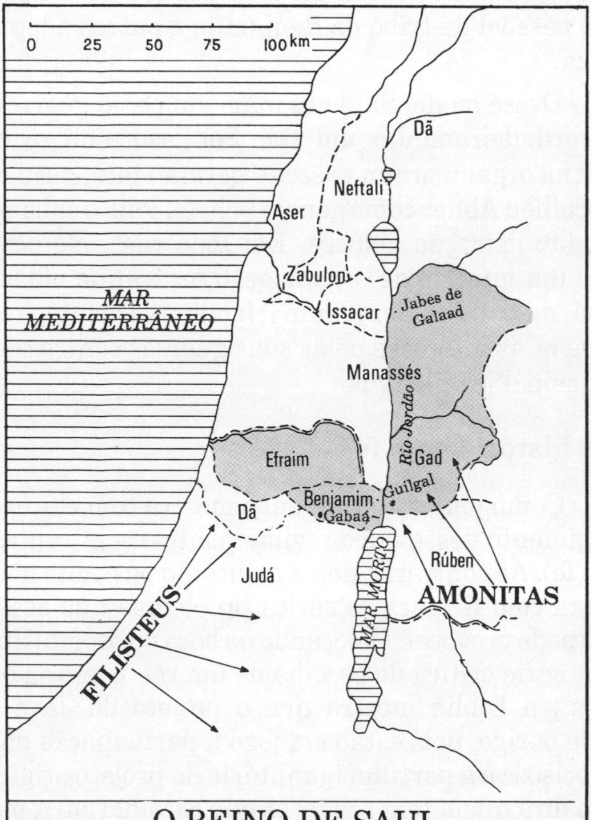

O REINO DE SAUL

aceitar a realeza como vontade de Deus. Talvez tenha sido escrita por aqueles que queriam um rei.

3. A terceira história (leia 1Sm 11,1-15) é considerada a mais antiga e, com muita probabilidade, a mais real. Aí a escolha é feita por *aclamação*: "Todo o povo se reuniu em Guilgal, e aí mesmo, diante de Javé, proclamaram Saul como rei..." (1Sm 11,15). Essa decisão espontânea e unânime de escolher Saul como chefe é explicada pela capacidade guerreira que ele demonstrou pouco antes na vitória contra os amonitas. É difícil dizer qual o povo que o aclamou chefe. Certamente não todas as tribos, mas o pessoal da tribo de Benjamim e outros adeptos da realeza.

Desse modo, Saul era mais um chefe guerreiro do que verdadeiramente um rei. Por isso, sua principal tarefa foi organizar um exército permanente, para o qual ele escolheu Abner como general-chefe. Pouco sabemos da sua administração política. Em todo caso, ele deve ter criado um mínimo de organização central na cidade de Gabaá, na tribo de Benjamim (cf. mapa). De fato, a Bíblia mostra mais interesse pelas suas guerras contra o inimigo principal: os filisteus.

Ler a história com fé

Como vimos, a Bíblia não mostra com clareza que o surgimento desse novo regime político seja vontade de Deus (fé). Ao contrário, deixa a questão bastante aberta e salienta com firmeza os sérios problemas que essa mudança pode provocar. Colocando na boca do profeta Samuel a mais séria crítica da escolha de um rei "como as outras nações", a Bíblia mostra que o projeto de Javé corre grande perigo, pois estão em jogo a participação do povo nas decisões e a partilha igualitária do projeto original. O futuro dirá quem tem razão: os que escolheram a monarquia, ou os que se opuseram a ela.

Perguntas para refletir

Hoje nós temos uma forma diferente para escolher nossos governantes. O modo mais usado por nós é a eleição através da *votação*. Quais os critérios que usamos para votar? O que nos deve orientar antes de tudo: o projeto participativo e justo dos candidatos, ou o medo de os "inimigos" ganharem, ou o interesse pessoal imediato? O que vocês acham do "voto útil"? Quais são, hoje, os inimigos externos e internos do povo?

10. A TRAJETÓRIA DE UM LÍDER

A história de Saul mistura-se com os inícios da vida de uma das personagens mais importantes da história de Israel: *Davi*. A diferença entre os dois já aparece na origem. Saul é da tribo de Benjamim, provavelmente filho único de um homem poderoso, criador de jumentos, que possuía empregados (cf. 1Sm 9,1-10). Davi é da tribo de Judá, da cidade de Belém, caçula entre oito irmãos (1Sm 17,12) e que tomava conta do rebanho de seu pai (1Sm 16,11).

Coragem e idealismo de Davi

O encontro entre Saul e Davi é narrado de duas maneiras diferentes. Na primeira (1Sm 16,14-23), Davi é chamado para junto do rei, a fim de acalmá-lo de seus ataques de nervosismo e violência. Davi aparece como um rapaz tranqüilo, que sabe tocar instrumentos musicais, embora já mostre também a sua coragem e valentia. Essa narrativa salienta mais ainda a diferença entre as duas personagens.

Na segunda narrativa (1Sm 17), o encontro de Davi se dá em pleno campo de batalha contra os filisteus. Aqui Davi é apresentado como jovem corajoso e cheio de ideal, que não tem medo de enfrentar os perigos. Por isso ele começa a ganhar a simpatia de todos: "era bem visto por todo o povo e até pelos oficiais de Saul" (1Sm 18,5). Mesmo que essa história tenha sido engrandecida na memória popular (batalha contra o gigante Golias), pode-se traçar um perfil de Davi: respeitoso, idealista, corajoso, trabalhador, ousado, simpático, estimado; enfim, tinha carisma de líder nato.

A presença de Davi e seus irmãos no exército de Saul indica que Judá também está participando dessa união de tribos na luta contra os inimigos externos, principalmente contra os filisteus. De fato, Judá era uma região ferozmente atacada por esses inimigos poderosos que tinham vindo do mar.

Duas lideranças em conflito

A liderança demonstrada por Davi começa a fazer sombra para Saul; este percebe estar perdendo popularidade e teme que Davi tome o seu lugar. Por isso, a admiração de Saul por Davi se transforma em ódio, perseguição e tentativa de assassinato. Quando um verdadeiro líder começa a surgir e a ser aclamado pelo povo, os que estão no poder se sentem abalados e procuram de todos os modos eliminá-lo (cf. 1Sm 18,6-16). Davi só consegue escapar da morte por causa de sua amizade com Jônatas, filho de Saul (1Sm 20).

Junto com os marginalizados

Quando tudo corre bem é fácil defender uma causa. Mas é na perseguição e até no perigo de morte que se prova o verdadeiro líder e se ele é fiel e coerente a seu ideal. Davi teve que se refugiar em cavernas e lugares desertos para escapar de Saul. E é nessa vida errante que ele se encontra mais de perto com o povo sofrido e marginalizado: "Todos os que se achavam em dificuldades, todos os endividados, todos os descontentes se reuniram ao seu redor, e o fizeram seu chefe" (1Sm 22,2). É com os marginalizados da sociedade que Davi vai formar o seu "exército" para lutar contra os inimigos do povo e buscar espaços para construir a justiça e a partilha. Como Davi fazia isso está bem demonstrado na história de Nabal (1Sm 25): só atacava as propriedades quando as pessoas ricas não queriam repartir os seus bens com os necessitados. Sem esse contato com os pobres de sua terra, Davi jamais teria sido o que foi. Por outro lado Saul, cioso do seu poder, não duvida em provocar um banho de sangue para massacrar todos os suspeitos de proteger Davi (cf. 1Sm 22,6-23).

Ler a história com fé

O povo da Bíblia recorda Davi como um homem de fé desde a sua juventude. Ele tem a firme convicção de que Javé, o Deus que libertou seu povo do Egito, está presente nas horas mais difíceis. Antes de enfrentar Golias, ele faz uma profissão de fé, dizendo ao filisteu: "Você vem contra mim armado de espada, lança e escudo. E eu vou contra você em nome de Javé dos exércitos, o Deus de Israel, que você dasafiou... Toda essa multidão saberá que não é com espada e lança que Javé sai vitorioso, porque se trata de uma guerra de Javé, e ele entregará vocês em nossas mãos" (1Sm 17,45-47). Assim Davi mostra a fonte de onde brota a força e a coragem dos fracos: Javé está do lado deles e os ajuda a se organizar para vencer os poderosos.

Para refletir

O que faz de Davi um verdadeiro líder que defende a causa de Deus e, portanto, do povo? Você conhece algum líder que surgiu do meio do povo e luta por ele, apesar de todas as dificuldades? Existe ainda a idéia de que, para ser líder político, é preciso ter muito dinheiro, ser tapeador e pertencer à classe dominante? O povo acredita nos seus líderes ou não? Por quê?

11. DAVI, REI DE JUDÁ E DE ISRAEL

Para que o povo marginalizado ganhe dignidade e espaço dentro da sociedade não basta coragem e ousadia. Pode se tornar uma luta suicida contra os que detêm o poder e as armas. É preciso inteligência e discernimento na ação. É o que não falta para Davi.

Tentando minar o inimigo por dentro

Hoje em dia fala-se muito em estratégia, isto é, a arte de explorar condições favoráveis para alcançar o objetivo que se deseja. É importante ter um ideal, mas não adianta nada se não encontramos os meios para começar a realizar esse ideal nas condições em que nos encontramos.

Davi, perseguido por Saul, faz uma coisa que parece estranha: com o seu grupo, vai pedir asilo entre os piores inimigos: os filisteus (1Sm 27,1-4)! Mas Davi e seu grupo não são desertores: ao mesmo tempo que escapam da perseguição de Saul, vão ajudar muitos israelitas perseguidos pelos filisteus. Infiltram-se como uma espécie de "quinta coluna" no meio do inimigo. Como é que eles agem? Dizendo para os filisteus que estão minando as forças dos israelitas, eles saem e conquistam cidades de outros inimigos dos israelitas e trazem os despojos para os filisteus. Estes acreditam e pensam que, de fato, Davi os está ajudando a lutar contra os israelitas e ganhando confiança (cf. 1Sm 27,5-12). Entretanto, na hora H, os filisteus desconfiaram de Davi e não deixaram que ele e seu grupo participassem da batalha final contra Saul. Este morreu juntamente com Jônatas e muitos israelitas. Davi queria isso? É difícil dizer. O certo é que ele nunca desrespeitou a autoridade de Saul (cf. 1Sm 29).

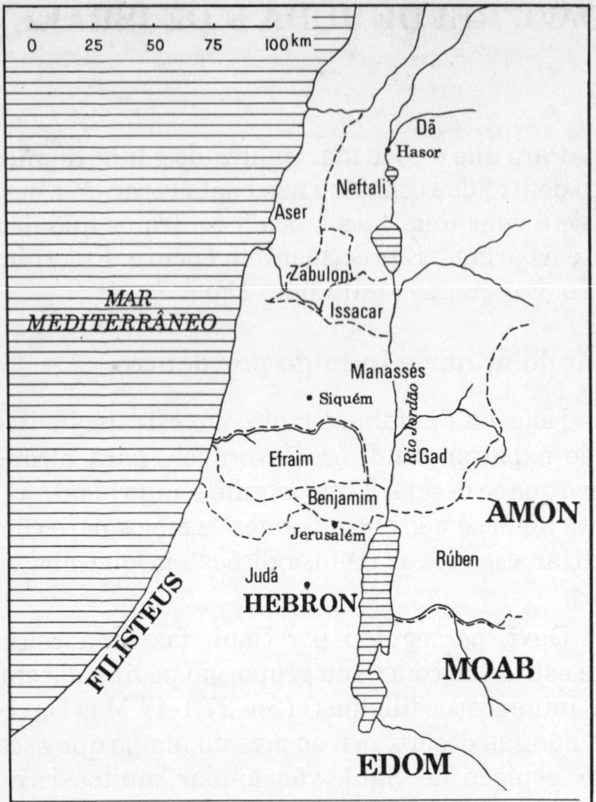

DAVI, REI DE JUDÁ E ISRAEL

Respeitando aqueles que o povo respeita

Segundo a Bíblia, Davi teve várias oportunidades para matar Saul. Ele, contudo, sempre procurou defender a vida e a honra de Saul, porque sabia que as tribos no norte não perdoariam se o chefe deles fosse desrespeitado (cf. 1Sm 24). Essa atitude de Davi faz com que ele comece a ser respeitado também fora do círculo da tribo de Judá. Sua fama se espalha por todo o Israel.

Davi, rei de Judá

Com a morte de Saul no campo de batalha (1Sm 31), Davi sai da clandestinidade, vai para Hebron, onde é ungido rei de Judá (2Sm 2,1-4). Embora Davi tivesse usado toda a sua diplomacia para evitar conflitos com as tribos, ele teve que enfrentar aqueles que pretendiam assumir a liderança no lugar de Saul. Quando o general Abner, que estava do lado da família de Saul, fez uma aliança com Davi, tudo parecia estar resolvido. Mas Joab, o general de Davi, matou Abner à traição e a situação se complicou novamente. Com a morte de Isbaal, filho de Saul, Davi ficou com o caminho livre para reinar em todo o Israel. Mas antes era preciso acertar alguns detalhes.

Davi, rei de todo o Israel

A cidade central de comando, na época de Saul, era Gabaá, na tribo de Benjamim; Davi começou a reinar em Hebron, na tribo de Judá. A localização da capital numa determinada tribo poderia provocar a desconfiança das outras tribos e o favorecimento de uma. Ciente dessa dificuldade, Davi toma uma decisão: apodera-se de uma cidade cananéia que ficava na divisa das tribos de Judá e Benjamim: *Jerusalém*. Com isso, conquista definitivamente a simpatia de todos os líderes das outras tribos e é ungido rei de todo o Israel (2Sm 5,1-5).

Depois do Sistema das Doze Tribos, um novo regime é estabelecido de maneira permanente, que durará por muitos anos. Dará certo? Tudo dependerá do governo dos reis: se eles obedecerem ou não ao contrato de defesa do povo (luta contra os inimigos e aplicação da justiça).

Ler a história com fé

A Bíblia vê a adesão consciente de um povo a seu líder justo como sinal da vontade de Deus. Todas as tribos de Israel foram encontrar-se com Davi em Hebron e lhe propuseram: "Veja! Somos do mesmo sangue. Já antes, quando Saul era nosso rei, o verdadeiro comandante de Israel era você. E Javé lhe disse: Você será o pastor do meu povo Israel. Você será o chefe de Israel" (2Sm 5,1-2).

Para refletir

Basta ter ideal para construir uma sociedade justa e fraterna? Qual a diferença entre ideal e estratégia? A nossa comunidade sabe escolher momentos certos e meios adequados para agir?

12. O GOVERNO DE DAVI

O símbolo da libertação

A primeira atitude que Davi toma é levar a arca da aliança para Jerusalém (2Sm 6). Por quê? Porque ela era o símbolo da presença do Deus libertador no meio do seu povo. Assim como a religião tinha sido fundamental para a organização dos camponeses na luta contra as cidades-Estado (cf. acima, pp. 21-23), agora ela também significa a crítica permanente contra qualquer tipo de opressão.

A administração de Davi

Davi administra o povo com um pequeno ministério: um secretário de Estado (Josafá), um secretário particular (Ozai), um conselheiro (Aquitofel), um chefe do exército (Joab) e um chefe da guarda (Banaías). O serviço da justiça, porém, não estava ainda organizado e dependia inteiramente do rei.

Apesar de ter que pagar impostos (sistema tributário), a monarquia de Davi agradou às tribos em geral. Isso se deve a três motivos:

— Davi não se preocupa em montar uma burocracia de Estado para realizar grandes construções;

— ele mantém um exército pessoal, dispensando a incorporação de membros das tribos;

— ele procura destinar os impostos arrecadados para serviços que beneficiam o povo, seja em termos de proteção militar, seja para as conquistas e a administração.

Davi, de fato, será lembrado como alguém que governou "sobre todo o Israel, exercendo o direito e a justiça para com todo o seu povo" (2Sm 8,15).

O pecado de Davi (2Sm 11)

Quando se fala do pecado de Davi, todos nós imediatamente lembramos do seu adultério com Betsabéia. Mas esse adultério não aparece isolado: ele foi precedido de outros fatos e seguido de conseqüências desastrosas. O que aconteceu foi a violação do próprio contrato que o rei tinha com o povo: enfrentar os inimigos e fazer justiça. De fato, Davi não saiu para lutar junto com seus companheiros em Rabá e estava passeando no terraço do palácio (2Sm 11,1-2). Por isso, cobiçou Betsabéia, mulher do soldado Urias que estava na guerra. E para esconder o seu erro, cometeu outro pior: quis fazer com que Urias desobedecesse às leis da guerra. Como não conseguiu, mandou matá-lo, violando o mandamento fundamental de uma sociedade que quer preservar a vida: a justiça foi ferida no coração.

É por isso que a Bíblia coloca logo a seguir os fatos que provocaram a decadência do governo de Davi: a briga pelo poder entre seus filhos (2Sm 13 e seguintes). O arrependimento Davi obteve o perdão de Deus, mas a sua atitude desencadeou todo um processo de reversão: ao invés de o poder estar a serviço do povo, começa a ser cobiçado como dominação: o poder pelo poder.

Ler a história com fé

Não obstante o pecado de Davi, o povo da Bíblia conservou a lembrança dos tempos em que ele praticou o direito e a justiça, fazendo dele um modelo de governante. Para eles, Davi deveria reinar para sempre. Nasceu então a convicção de que, um dia, Deus colocaria no trono alguém como Davi, mas que só praticasse a justiça e o direito, seguindo em tudo o projeto de Deus para seu povo. Surgiu assim a idéia do Messias, que viria um dia para estabelecer a paz perpétua (cf. Is 9,1-6).

O QUE É MESSIAS?

Messias é uma palavra hebraica que significa *Ungido*. No Novo Testamento, escrito em língua grega, o Messias é chamado de *Cristo*. Portanto, Jesus *Cristo* é para nós, cristãos, o Messias, o Ungido que veio ao mundo trazer definitivamente o Reino de justiça e paz que os israelitas esperavam. Esse Reino já está presente no mundo com a vinda de Jesus, Filho de Deus, e será construído através de todos aqueles que se comprometem com a pessoa e a atividade de Jesus: no serviço, na partilha e no amor aos irmãos.

Para refletir

Existe algum grande símbolo de libertação para nós hoje? Qual?

Qual o grande pecado dos nossos governantes hoje? Eles sabem que estão errados e se arrependem?

13. A LUTA PELO PODER

O populismo de Absalão

O descuido da justiça provoca automaticamente o desencadeamento da corrupção e do populismo, cuja única finalidade é alcançar o poder. A narrativa de 2Sm 15,1-12 mostra bem isso, ao contar a atitude de Absalão, um dos filhos de Davi: ele vai para as ruas, cumprimenta e beija as pessoas, promete mundos e fundos.

Na verdade, o que ele tinha em mente não era o bem-estar do povo, mas dar um golpe de Estado para tomar o trono de Davi, antes que o tomassem seus irmãos. Contava, para isso, com a ingenuidade de muita gente.

O projeto populista de Absalão não foi em frente, porque Davi ainda possuía um grupo fiel e inteligente, que soube desarticular os planos de Absalão. Este acabou sendo morto numa batalha (2Sm 18,9-18), e Davi conseguiu reaver sua credibilidade, ao menos em parte.

Favoritismos

De fato, as tribos do Norte se sentem cada vez mais preteridas em favor da tribo de Judá, à qual Davi pertencia. Essa preferência por aparentados e não pela justiça se torna outro espinho encravado na monarquia de Davi, não permitindo que sua liderança se torne isenta de favores e regalias (2Sm 19,41-44). Isso até provocou uma revolta, comandada por Seba, da tribo de Benjamim. O bom senso do general Joab, que evitou um massacre, conseguiu contornar a situação e manter para Davi a fidelidade, embora precária, das tribos do Norte (2Sm 20).

Os altos escalões decidem

Em sua velhice, Davi teve que enfrentar uma situação difícil dentro da sua própria família e com seus ministros: divisões e conflitos em torno de quem iria substituí-lo no trono. Dois de seus filhos se destacaram nessas articulações para alcançar o poder: Adonias e Salomão.

Adonias conseguiu unir em torno de si o general Joab e o sacerdote Abiatar; Salomão tinha do seu lado a elite do exército, o sacerdote Sadoc e o profeta Natã. Uma coisa já podemos notar: *o povo é deixado fora* das decisões na escolha do novo rei; as manobras são feitas só nos altos escalões.

É bom lembrar que Davi se tornou rei a partir da luta em prol dos desfavorecidos e praticamente foi aclamado pelo povo! Nessas intrigas e manobras, Davi teve que tomar uma decisão.

Os motivos não são claros por que Davi escolheu Salomão para reinar em seu lugar; o certo é que o filho de Betsabéia foi escolhido e ungido rei (1Rs 1,1-40).

Matanças e expurgos

Enquanto Davi viveu, a situação continuou tensa, mas ele conseguiu evitar que houvesse uma "caça às bruxas", embora o seu testamento já previsse o que iria acontecer (1Rs 2,1-11). De fato, subindo ao trono, a primeira atitude de Salomão foi a de eliminar seus concorrentes e opositores mais fortes: manda matar o irmão Adonias (1Rs 1,12-25) e o general Joab (1Rs 1,28-35), e expulsa de Jerusalém o sacerdote Abiatar, confinando-o na cidade de Anatot (1Rs 1,26-27).

Outra oposição que Salomão enfrentou e eliminou foi a dos partidários da família de Saul (1Rs 2,36-46). É dentro desse clima e conjuntura que a "casa de Davi" prevaleceu e o poder se consolidou nas mãos de Salomão, dentro de um regime monárquico para todo o Israel.

Ler a história com fé

Em momentos difíceis da sua história, o povo da Bíblia teve que fazer escolhas políticas e econômicas, mas sempre conservou o espírito crítico para que um sistema ou regime não fosse considerado absoluto. Sempre procurou mostrar que se o projeto de Deus, que é liberdade e vida para todos, não fosse conservado, nada daria certo.

É o que o testamento de Davi diz para Salomão: "Eu vou seguir o caminho de todos os mortais. Seja forte e comporte-se como homem. Cumpra as ordens de Javé seu Deus, andando pelos caminhos dele e observando seus estatutos, mandamentos, normas e testemunhos, como estão escritos na lei de Moisés, para que você tenha sucesso em tudo o que fizer e projetar" (1Rs 2,2-3).

Para refletir

1. Compare a história da sucessão de Davi com a história recente da política em nosso país. Você vê semelhanças?
2. Você notou alguma mudança na sua cidade a partir das últimas eleições?
3. Os políticos buscam o poder para servir o povo ou para seus próprios interesses?

14. GRANDIOSIDADE DO REINO DE SALOMÃO

O governo de Salomão transformou o pequeno reino de Israel em um império respeitado por todas as outras nações. Realizou, assim, o desejo daqueles que apoiaram a monarquia: "Teremos um rei e seremos nós também como as outras nações" (1Sm 8,19). Parece que os opositores do regime monárquico estavam errados, quando quiseram descartar essa forma de governo. De fato, Salomão conseguiu dar tamanha grandiosidade ao povo de Israel, que só em sonho se poderia pensar: administração competente, culto luxuoso, construções grandiosas, economia de abundância, desenvolvimento territorial, comércio de exportação e importação, relacionamento diplomático para manter a paz.

Salomão foi um rei sábio

Quando falamos da sabedoria de Salomão, logo lembramos do rei com a espada levantada, ameaçando cortar ao meio um recém-nascido, para descobrir a verdadeira mãe da criança (1Rs 3,16-28). Esse caso, porém, é um símbolo da sua grande capacidade de administração. Aproveitando a experiência do Egito, ele procurou assessores na área da cultura e ciência para agilizar as questões externas e internas. Formou diplomatas para manter um relacionamento à altura com as outras nações, abrindo assim um espaço novo de negociações, inclusive com o Egito, que era a grande potência da época.

Acolheu em sua corte escritores, dando-lhes a tarefa de organizar as tradições populares sobre a história do seu povo e, ao mesmo tempo, estudar e adaptar a literatura de outros povos. Com isso, foi sendo formado um acervo orgânico de cultura que, enraizada na tradição nacional, estaria aberta para outros povos. Ele não queria que Israel fosse um país fechado, mas uma bênção de Deus para os outros povos. É nessa época que muitas narrativas antigas são recolhidas, organizadas e reinterpretadas. Grande parte desse material está presente na Bíblia, principalmente em partes dos livros do Gênesis, do Êxodo e dos Provérbios.

Salomão foi um rei religioso

Desde o início do seu reinado, ele se preocupou com a construção de um templo para Javé, o seu Deus e o Deus do seu povo. E não mediu esforços e sacrifícios para isso: contratou engenheiros e artesãos estrangeiros, importou madeira de lei, ouro, prata, tecidos, bronze. Quando inaugurado, depois de muitos anos de trabalho, o Templo de Jerusalém causou admiração no mundo inteiro. A Arca da Aliança foi introduzida no lugar mais sagrado do santuário, para ser um sinal perpétuo da presença do Deus do êxodo no meio do seu povo. Todo o esplendor dos sacrifícios, dos sacerdotes e das festas pode ser notado em 1Rs 5-8. Para que a unidade de culto fosse preservada, os outros santuários foram sendo abolidos.

Nova forma de administração interna

Salomão dividiu o seu reino em doze prefeituras, colocando em cada uma delas um administrador, que cuidava dos interesses do reino nas diversas regiões do país. Eram eles que recolhiam os impostos para que o governo tivesse renda suficiente, a fim de manter a corte, o culto, o exército e o controle da exportação (cf. 1Rs 4,7-19).

Aparelhou o exército da melhor maneira possível, para manter as fronteiras seguras e em expansão.

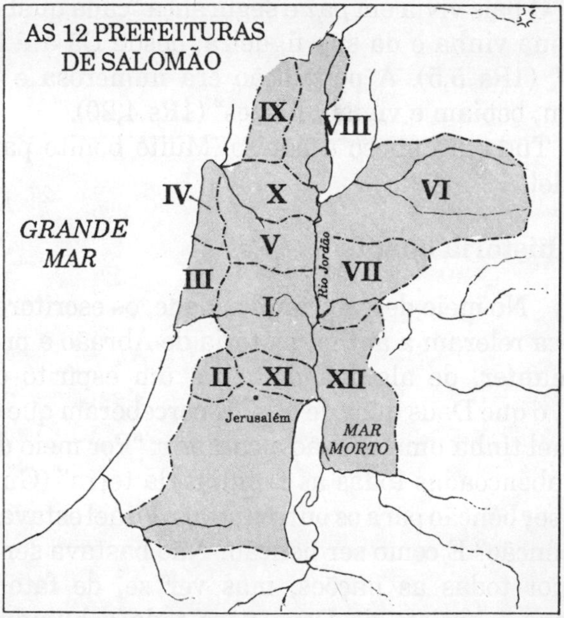

Recorrendo à tecnologia estrangeira dos fenícios, construiu uma frota de navios mercantes de grande calado.

Salomão foi um rei comerciante

Através do comércio de importação, os israelitas viram, nessa época, coisas que só pensavam existir em sonho ou que nem mesmo sonhavam existir: ouro e prata em abundância, marfim, roupas finíssimas, perfumes, armas, madeiras raras, cavalos de raça, carruagens e carros de guerra, e até macacos e pavões (cf. 1Rs 10,14-29).

A história da rainha de Sabá (1Rs 10,1-13) quer dar uma idéia de como os outros povos admiravam Salomão e o que ele fazia para seu povo: os visitantes ficavam deslumbrados com o que viam e ouviam.

O país vivia em paz e segurança "cada qual debaixo de sua vinha e da sua figueira, desde Dã até Bersabéia..." (1Rs 5,5). A população era numerosa e "todos comiam, bebiam e viviam felizes" (1Rs 4,20).

Tudo grandioso e bonito. Muito bonito para ser verdade!

Ler a história com fé

No meio dessa grandiosidade, os escritores dessa época releram a antiga história de Abraão e procuraram manter, de alguma maneira, um espírito crítico. Afinal, o que Deus quer de nós? E perceberam que o povo de Israel tinha uma missão a cumprir: "Por meio de você serão abençoadas todas as famílias da terra" (Gn 12,3). Isto é: ser bênção para os outros povos. Israel estava sendo uma bênção? E como ser bênção? Não bastava ser admirado por todas as nações, mas ver se, de fato, aí se realizava o projeto de Deus para toda a humanidade. Partindo da fé, uma interrogação pairava no ar...

15. PARA QUEM SALOMÃO MANDAVA A CONTA?

Salomão conduziu o reino de Israel ao máximo de sua grandiosidade. O próprio texto bíblico, porém, deixa claro que essa época de ouro estava cheia de graves contradições e que alguém pagava caro por todo esse luxo e riqueza.

Quem trabalhava?

Na época de Salomão, a mola do desenvolvimento do país era o tributo ou imposto. Uma das formas de pagar o tributo era o *trabalho forçado* (também chamado de *corvéia*) nas construções, no exército, nas minas e no serviço aos navios. A Bíblia nos diz que para a construção do Templo e do palácio foram recrutados cerca de trinta mil homens a fim de cortar árvores no Líbano, setenta mil para transportar material, oitenta mil para cortar pedras na montanha, sob supervisão de três mil e trezentos funcionários (cf. 1Rs 5,27-32). Mais uma vez, notamos que tais trabalhos eram realizados como forma de pagar impostos.

Quem pagava?

Além do trabalho forçado, outra maneira de pagar o tributo era o fornecimento de produtos agrícolas e pastoris para a exportação, manutenção da corte e do exército. A descrição do que se gastava na corte pode nos dar uma idéia aproximada do montante que o povo devia dispor para pagar o tributo: "Salomão recebia diariamente para seu gasto treze toneladas e meia de flor de farinha e sete toneladas de farinha comum, dez bois cevados, vinte bois de pasto, cem carneiros, além de veados, gazelas, antílopes e aves de ceva" (1Rs 5,2-3). E não era apenas gente que devia ser sustentada: "Salomão possuía estábulos para quatro mil cavalos de tração e doze mil cavalos de montaria" (v. 6), tratados com cevada e palha (v. 8).

Havia também a dívida externa: era preciso pagar engenheiros e artesãos estrangeiros, assim como os materiais importados: "Hiram (rei de Tiro) forneceu a Salomão toda a madeira de cedro e cipreste que este necessitava, e Salomão pagou a Hiram nove mil toneladas de trigo para o sustento de seu palácio, e nove mil litros de azeite virgem" (v. 25).

Quem pagava tudo isso? A Bíblia parece indicar que esses produtos vinham de outras partes (cf. 1Rs 5,4-5). Entretanto, o próprio texto fala que Salomão dividiu o país em prefeituras justamente para arrecadar esses bens necessários para o sustento "de todos os que comiam às custas do rei" (v. 7). Na verdade, quem sustentava nas costas a grande carga das despesas eram os trabalhadores e camponeses.

Reação do povo

Esse estado de coisas provocou uma grande insatisfação no povo. Surgiu uma reação que ganhou corpo entre as tribos do Norte. De fato, eram elas que mais sofriam com o peso dos impostos. A divisão do país em prefeituras havia quebrado a autoridade política dos anciãos e das assembléias, e havia desviado a distribuição dos gêneros de primeira necessidade para outros fins. A centralização do culto provocou o deslocamento do pólo da educação civil e da vida religiosa: grande parte dessas funções exercidas por levitas itinerantes e chefes de família, passou para os sacerdotes e sábios que viviam no Templo e na corte de Jerusalém.

Esses fatores políticos, econômicos e religiosos fomentaram a revolta entre os nortistas, sob a liderança de Jeroboão, chefe de trabalhos forçados. Estimulado pelo profeta Aías de Silo, ele preparava a separação das tribos do Norte. A rebelião foi descoberta, e Jeroboão teve que fugir para o Egito, pois Salomão queria matá-lo (cf. 1Rs 11,26-40). Em todo caso, estava lançado o grito de alerta e de insatisfação contra o rei Salomão, que levou o país ao máximo de grandeza mas que, para alcançar isso, sacrificou toda a população trabalhadora e camponesa.

Ler a história com fé

A perenidade da dinastia de Davi e o reinado de Salomão eram vistos pelo povo da Bíblia como vontade de Deus. Deus estava cumprindo o que prometera. Mas essa promessa tinha uma condição, sem a qual Javé retiraria seu aval: "Se você se comportar diante de mim como seu pai Davi, de coração íntegro e reto, fazendo tudo o que ordenei e obedecendo aos meus estatutos e normas, eu manterei firme para sempre o seu trono real em Israel, como prometi a seu pai Davi... Ao contrário, se vocês e seus filhos me abandonarem, não obedecendo aos meus mandamentos e estatutos que lhes dei... então Israel será motivo de riso e chacota entre os povos..." (1Rs 9,4-7).

Para refletir

Você já ouviu falar em "milagre econômico", em "esperar o bolo crescer para depois reparti-lo"? Existe alguma semelhança com o reinado de Salomão?

Quando se realiza uma grande construção, alguma vez se pensa naqueles que nela trabalham noite e dia? Essas obras são importantes para toda a população? Quem paga essas construções?

16. BALANÇO DE UMA EXPERIÊNCIA

Para entender melhor o que aconteceu durante o reinado de Salomão, é necessário refazer um pouco a caminhada do povo de Israel nos primeiros 300 anos de sua existência.

Novo sistema

Tudo começou quando os camponeses, pastores e imigrantes, se uniram contra as cidades-Estado de Canaã e conseguiram estabelecer dentro do território um novo modelo de sociedade, formando a Liga das Doze Tribos de Israel (cf. acima, pp. 24-27). Eles mudaram de um sistema econômico (modo de produção tributário) para outro totalmente diferente (modo de produção tribal).

MODO DE PRODUÇÃO TRIBAL

- relações comunitárias de trabalho
- terra e rebanhos (meios de produção) coletivos
- distribuição coletiva do produto
- sobra (excedente de produção) consumida nas festas populares
- não há acúmulo, nem comércio
- condição única para usufruir dos meios de produção: a pertença à comunidade

Quanto ao modo de produção tributário, conferir acima, p. 32.

O modo de produção tribal entre os israelitas durou mais ou menos 150 anos (1250-1050 a.C.).

Rompimento com o sistema antigo

Para que tal mudança acontecesse, foi preciso romper com instâncias que sustentavam o modelo antigo. Na *política*, as decisões não deveriam mais provir de um rei ou grupo, mas da base: famílias, clãs e tribos, para que não houvesse um grupo que decidisse e outro que trabalhasse. Na *religião*, não podiam ser adorados os deuses cananeus ou egípcios, pois eles eram mantenedores da situação antiga, mas era preciso um Deus diferente. Por isso, o grupo que veio do deserto e que adorava Javé, o Deus libertador, foi de suma importância para criar esse novo tipo de sociedade.

Dificuldades dentro do novo sistema

Chegou, porém, um momento em que as coisas se complicaram. A presença de inimigos no território (principalmente os filisteus) começou a exigir uma centralização de poder e exército aparelhado. O que fazer? Com prós e contras, formou-se dentro de Israel o regime monárquico. Mas para que isso funcionasse precisava de meios econômicos. Busca-se a saída através do sistema tributário, mas com a obrigação de observar rigorosamente um *contrato*: o povo paga impostos em troca da proteção contra os inimigos e da administração da justiça. Davi conseguiu, até certo ponto, manter esse contrato e, por isso, foi considerado rei justo (cf. acima, p. 41ss).

Retorno ao sistema antigo

O que aconteceu na época de Salomão? Através de alianças com outras nações, Salomão conseguiu criar a famosa *paz salomônica*: os conflitos com outros povos eram resolvidos pela diplomacia e intercâmbio comercial. Então as contradições do sistema começaram a aparecer:

— O imposto pago para sustentar o exército torna-se um luxo dispendioso, pois não há inimigos para combater. A sua existência não se justifica, e então são feitas guerras para expandir o território, e não para se defender.

— O comércio com o exterior exige dos israelitas grande produção de excedente (sobra) para exportar gêneros alimentícios e importar material de luxo (madeiras de lei, ouro, prata, cavalos etc.). Ora, isso não produz retorno econômico para a população do campo. Ao contrário, ela tem que produzir mais e consumir menos.

— A manutenção da corte e da burocracia — iguais ou maiores do que as dos países "amigos" —, exige também despesas enormes, que não revertem em bem para o povo.

Essas contradições econômicas do sistema provocaram grande pobreza ao lado de um luxo deslumbrante. Eram necessárias mão forte e justificativas para que não estourasse uma convulsão social.

Salomão usou de pulso, centralizando tudo em suas mãos e nas mãos do seu pessoal de confiança. O rei que, pelo *contrato* com o povo, deveria administrar a justiça, agora domina para preservar a injustiça. O exército que, pelo contrato, deveria combater os inimigos do povo, agora enxerga o inimigo no próprio povo.

E a religião, como é que fica? Javé, o Deus libertador, que exige vida e liberdade, partilha e fraternidade, agora está "preso" num Templo luxuoso, adorado em culto deslumbrante, mas vazio de sentido. Não é mais considerado o Deus presente na luta de um povo para libertá-lo. A religião manipulada torna-se o "ópio do povo". E isso é idolatria.

Salomão evitou que os inimigos externos explorassem seu povo. Este, porém, não precisava mais de inimigos externos: a exploração e a opressão estavam enraizadas dentro do país pelo próprio sistema que o rei Salomão tinha implantado. Um rei sábio que se tornou rei louco!

Ler a história com fé

O sonho de Salomão (1Rs 3,4-15) mostra qual a autoridade que Deus aprova. É aquela que realmente é capaz de discernir e realizar a justiça. Para isso, a principal tarefa da autoridade consiste em *saber ouvir*. Autoridade justa que tem a aprovação de Deus age sempre a partir das legítimas aspirações e reivindicações do povo. Em outras palavras: deve servir ao povo, que pertence a Deus. Salomão, por causa do sistema que usou, não conseguiu ouvir o povo. Ficou apenas no sonho!

Para refletir

Nosso sistema de sociedade é diferente daquele do tempo de Salomão. Qual o sistema que vigora no Brasil? É um sistema que defende os interesses de todo o povo? Por quê? Existem hoje outros sistemas? Quais? Qual deles ajuda mais a realizar o projeto de Deus?

17. O POVO REAGE

A voz do povo

Com a morte de Salomão, as tribos do Norte deram continuidade à reação que tinha sido iniciada com o profeta Aías de Silo e Jeroboão (cf. 1Rs 11,26-40). As brasas da liberdade estavam acesas debaixo das cinzas da opressão.

No regime monárquico de dinastia (cf. acima, p. 31ss), a mudança do rei era automática: Roboão, o filho mais velho do rei morto, assumiu o governo. Entretanto, os nortistas não aceitaram pacificamente isso. Exigiram que Roboão se apresentasse numa assembléia na cidade de Siquém, e aí colocaram para ele as condições exigidas para admiti-lo como rei: acabar com o arrocho e a opressão. Como no tempo da Confederação das Doze Tribos, o povo volta a ter voz ativa (cf. 1Rs 12,1-5).

A resposta dos privilegiados

Roboão se reuniu com seus conselheiros para tomar uma decisão. Uma parte deles (anciãos) percebe que Roboão não teria condições de governar se não atendesse às reivindicações básicas do povo. Ouvir a voz do povo e agir segundo suas propostas é o essencial para governar com justiça e ser bem aceito (cf. 1Rs 3, 9). O rei, porém, preferiu escutar seus amigos de corte, que o aconselharam a amedrontar o povo com repressão (cf. 1Rs 12,6-15): "Meu pai colocou sobre vocês um fardo pesado, mas eu aumentarei ainda mais esse fardo. Meu pai castigou vocês com chicotes, e eu castigarei vocês com ferrões". O rei não deu ouvidos ao povo.

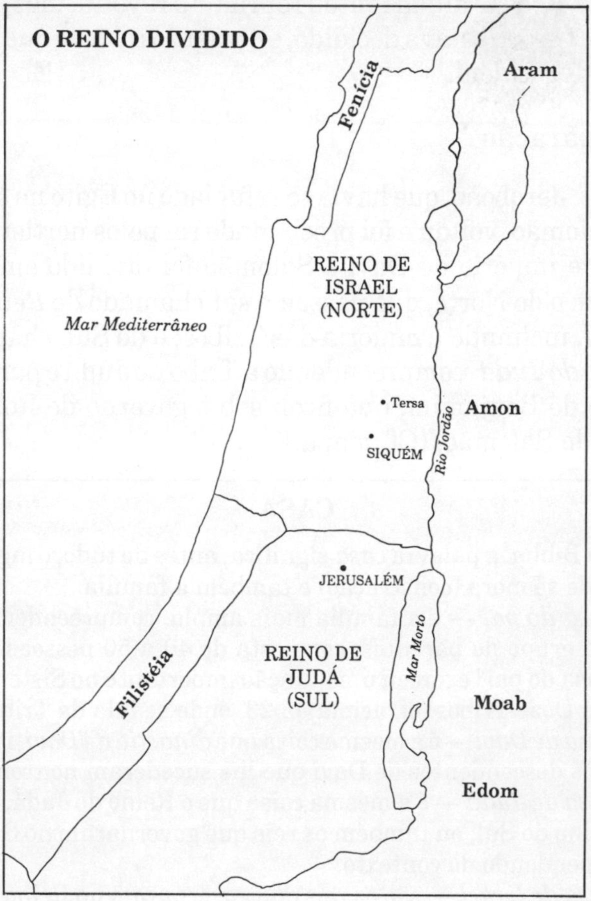

Sem acordo

A reação do povo foi imediata, ao perceber que o rei não lhe dava atenção. Os que estavam na assembléia responderam: "O que temos nós com Davi? Não temos herança com o filho de Jessé. Volte para as suas tendas, Israel. Agora, cuide de sua casa, Davi!" (1Reis 12,16). Essas palavras que os nortistas disseram a Roboão significam que eles renegaram a dinastia de Davi, isto é, não aceitavam mais os descendentes de Davi como rei.

Roboão ainda tentou reprimir a revolta, mas já era tarde. O povo estava decidido, e o próprio rei teve que fugir para Jerusalém.

A separação

Jeroboão, que havia se refugiado no Egito na época de Salomão, voltou e foi proclamado rei pelos nortistas. O grande império de Davi e Salomão foi dividido em dois reinos: o do Norte, que passou a ser chamado de *Reino de Israel*, incluindo a maioria das Tribos; o do Sul, chamado *Reino de Judá*, compreendendo a Tribo de Judá e parte da Tribo de Benjamim, que ficou sob o governo de Roboão, filho de Salomão. (Cf. mapa.)

CASA

Na Bíblia, a palavra *casa* significa, antes de tudo, o lugar onde se mora (construção) e também a família.
Casa do pai — é a família mais ampla, compreendendo um grupo de parentes, composta de 40 a 50 pessoas. A "casa do pai" exerceu uma função importante no Sistema das Doze Tribos (cf. acima, p. 23, onde se fala da Tribo).
Casa de Davi — é a mesma coisa que *dinastia de Davi*, isto é, os descendentes de Davi que lhe sucederam no trono.
Casa de Judá — é a mesma coisa que o Reino de Judá, ou Reino do Sul, ou também os reis que governaram no Sul, dependendo do contexto.
Casa de Israel — são os reis que governaram no Reino do Norte ou de Israel. Também pode indicar todo o Reino de Israel, dependendo do contexto. Equivale, então, à expressão "todo o Israel".
Casa de José — indica, primeiramente, as Tribos de Efraim e Manassés, que eram filhos de José. Pode significar também todo o Reino do Norte. Com menos freqüência, indica todo o povo israelita.
Casa de Jacó — é o Reino do Norte ou Israel.
Casa do rei X — indica a classe dominante, que está no poder. Por exemplo: casa do rei Acab.

Ler a história com fé

O povo da Bíblia via no rei o representante da vontade de Deus. Mas quando o rei parou de "ouvir o povo", e a opressão entrou em Israel, surgiu uma nova personagem, na voz da qual o povo começou a ouvir a voz de Deus, isto é, o profeta: "O rei não deu ouvidos ao povo. Foi a maneira usada por Javé para realizar o que dissera a Jeroboão, filho de Nabat, por meio de Aías de Silo" (1Rs 12,15). A fé ensina o povo de Deus a relativizar toda e qualquer autoridade ou instituição: elas só merecem respeito quando procuram promover a liberdade e a vida para todos.

Para refletir

O que é que o povo pode fazer para mudar a situação de um país? É melhor calar ou reivindicar? Quais os mecanismos que um povo pode usar hoje para participar das decisões importantes do país?

18. INDEPENDÊNCIA DO NORTE

Decidida a separação, era urgente tomar as medidas necessárias para que o novo reino se concretizasse. Jeroboão, que fora escolhido rei pelas Tribos do Norte, age com rapidez para viabilizar a independência.

Medidas políticas

A primeira medida de Jeroboão foi fortificar a cidade de Siquém, onde se reunira a assembléia que rejeitou as propostas de Roboão. Fez de Siquém a capital provisória do novo Reino, até que pudesse escolher a cidade para capital definitiva: Tersa (cf. mapa). Fortificou também outras cidades, principalmente as que se encontravam nas fronteiras. O regime monárquico continuou, só que agora independente da dinastia de Davi.

Medidas religiosas

Salomão procurara eliminar os lugares de culto nas cidades e aldeias, estabelecendo o Templo de Jerusalém como único lugar apropriado para adorar Javé. Jeroboão percebeu que não haveria independência política se as Tribos do Norte continuassem indo a Jerusalém para adorar Javé, porque os sacerdotes do Templo teriam o controle e influência sobre essas tribos. Então resolveu quebrar essa dependência: **1.** Estabeleceu dois lugares oficiais de culto no Norte: em Betel e Dã (cf. mapa); **2.** Para substituir a Arca da Aliança, que era o sinal da presença de Deus no meio do povo, fabricou dois bezerros de ouro, colocando-os nesses santuários. Isso não significa que os nortistas começaram a adorar bezerros de ouro. O Deus deles continuou sendo Javé; os bezerros de ouro eram, como a Arca, simplesmente uma espécie de pedestal de Javé; **3.** Para dirigir o culto e coordenar as novas orienta-

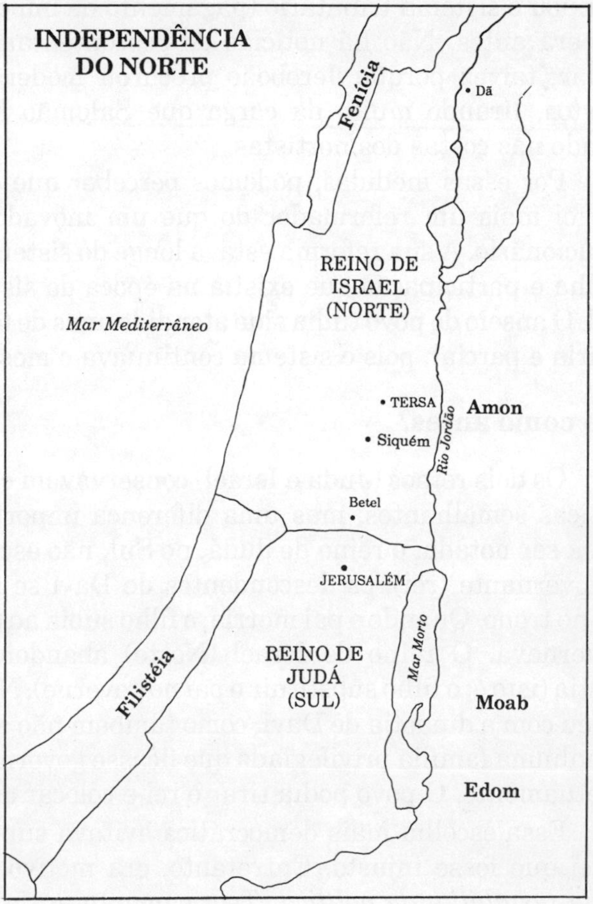

ções religiosas, ele "escolheu como sacerdotes homens tirados do povo, que não eram filhos de Levi" (1Rs 12,31). Essa atitude de Jeroboão foi muito criticada, pois desde os tempos mais antigos somente os filhos de Levi exerciam funções nos santuários.

Medidas econômicas

As informações que temos sobre a economia na época de Jeroboão são praticamente nulas. Certamente continuou o sistema tributário (pagamento de impostos) como era antes. Não há notícias de descontentamento popular; talvez porque Jeroboão procurou moderar os impostos, tirando muito da carga que Salomão havia colocado nas costas dos nortistas.

Por essas medidas, podemos perceber que Jeroboão foi mais um reformador do que um inovador ou revolucionário. A sua reforma estava longe do sistema de partilha e participação que existia na época do sistema tribal. O anseio do povo tinha sido atendido, mas de forma precária e parcial, pois o sistema continuava o mesmo...

Tudo como antes?

Os dois reinos (Judá e Israel) conservavam características semelhantes, mas uma diferença importante precisa ser notada: o reino de Judá, no Sul, não escolhia seu governante (rei): os descendentes de Davi se sucediam no trono. Quando o pai morria, o filho subia ao trono e governava. O reino de Israel (Norte) abandonou a dinastia (isto é: o filho substituir o pai no governo). Não só rompeu com a dinastia de Davi, como também não admitia nenhuma família privilegiada que ficasse governando perpetuamente. O povo podia tirar o rei e colocar outro.

Essa escolha mais democrática evitava suportar um rei que fosse injusto. Entretanto, era motivo para grande *instabilidade política*. Teoricamente era o povo que escolhia o rei, mas outra força poderosa começou a intervir e dar cartas: o *exército*. Não vigorando o princípio da dinastia, os militares começaram a dar *golpes de Estado*, um atrás do outro.

Assim, os nortistas estavam agora necessitando de estabilidade política para que o reino de Israel não caísse na anarquia. Mas, ao mesmo tempo, não queriam renunciar ao direito de participação popular na escolha de seus governantes. Era preciso um canal com credibilidade para que o povo pudesse expressar seus anseios. Os militares não tinham essa credibilidade, embora possuíssem as armas.

Ler a história com fé

Um dos filhos do rei Jeroboão ficou doente e morreu. O povo viu nessa morte um sinal de Deus, e por isso conseguiu manter o espírito crítico em alerta. A interpretação da morte do filho do rei foi dada pelo profeta Aías, o mesmo que havia estimulado Jeroboão a proclamar a independência do reino do Norte. Ele falou à esposa do rei: "Diga a Jeroboão: Assim diz Javé, o Deus de Israel: Eu tirei você do meio do povo e o coloquei como chefe do meu povo Israel... Você se comportou de modo pior dos que reinaram antes de você... Por isso vou trazer a desgraça para sua casa" (cf. a história em 1Rs 14,1-20).

Para refletir

O Brasil proclamou a independência política em 7 de setembro de 1822. Faz muito tempo. Mas somos, de fato, um povo livre e independente? Por quê?

19. IDOLATRIA E OPRESSÃO

Daqui para frente, são muitos os reis que vão se sucedendo no trono, seja no reino de Israel (Norte), seja no reino de Judá (Sul). Nós vamos ver somente aqueles que tiveram maior importância.

No Norte, depois de Jeroboão, aconteceram vários golpes de Estado, até chegar ao rei *Amri*, que governou doze anos. Ele construiu a *cidade da Samaria* e aí estabeleceu a capital. Ele foi rei de muito prestígio no estrangeiro e conseguiu que seu filho Acab lhe sucedesse no governo após a sua morte.

Alianças perigosas

Amri procurou fazer uma política de aliança com os povos vizinhos. Acab continuou essa política do pai e se casou com Jezabel, a filha do rei de Tiro (ver mapa), que adorava o deus Baal. Jezabel não só trouxe consigo o deus Baal, mas também muitos sacerdotes e profetas desse deus. Como ela era uma mulher de caráter forte, conseguiu que o rei Acab, seu marido, decretasse que o deus Baal fosse reconhecido como deus oficial do reino de Israel (Norte). Quais as conseqüências disso para o povo? Precisamos relembrar o que significa adorar Javé, para entender o que acontece quando um outro deus é adorado (cf. acima, p. 22).

O povo de Israel, no dia-a-dia, tinha misturado a adoração de Javé com o culto ao deus Baal. Os camponeses achavam que Javé era o Deus libertador e guerreiro, mas quem cuidava da fertilidade do solo, fazia chover e ter uma boa colheita era Baal. Se essa mistura podia trazer conseqüências sérias, a coisa tornou-se pior quando Baal foi decretado oficialmente como deus do país pelo rei.

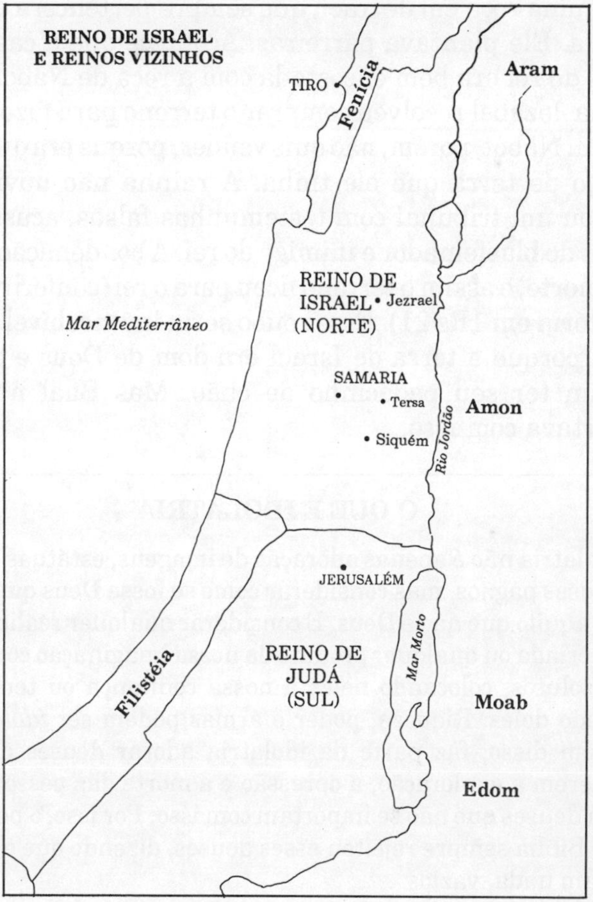

Agora os princípios básicos que compunham a religião de Baal deveriam ser norma para todo o país. Como a adoração desse deus não tinha nenhuma relação com justiça e libertação, a classe dominante poderia fazer o que bem entendesse nesse campo. Era um deus que favorecia os privilegiados. E assim a opressão voltou de novo e com toda força.

Um caso contado na Bíblia ilustra essa relação entre Baal e opressão. Um camponês chamado Nabot tinha uma roça em Jezrael, que sempre pertencera à sua família. Ele plantava parreiras. Acontece que a casa de férias do rei era bem encostada com a roça de Nabot, e a rainha Jezabel resolveu comprar o terreno para fazer um jardim. Nabot, porém, não quis vender, porque era o único pedaço de terra que ele tinha. A rainha não duvidou: montou um tribunal com testemunhas falsas, acusando Nabot de blasfemador e inimigo do rei. A condenação dele foi a morte, e assim o terreno ficou para o rei (conferir toda a história em 1Rs 21). Esse roubo seria inconcebível para Javé, porque a terra de Israel era dom de Deus e todos deviam ter seu pedacinho de chão. Mas Baal não se importava com isso...

O QUE É IDOLATRIA

Idolatria não é apenas adoração de imagens, estátuas ou deuses pagãos, mas considerar como se fosse Deus quem ou aquilo que não é Deus. É considerar qualquer realidade criada ou qualquer produto da nossa imaginação como absolutos, colocando neles a nossa confiança ou tendo medo deles. Riqueza, poder e armas podem ser *ídolos*. Além disso, faz parte da idolatria adorar deuses que querem a exploração, a opressão e a morte das pessoas. Ou deuses que não se importam com isso. Por isso, o povo da Bíblia sempre rejeitou esses deuses, dizendo que eles eram nada, vazios.

É idolatria, ainda, usar o nome do Deus verdadeiro para alienar as pessoas e ter uma brecha para explorar e oprimir.

Ler a história com fé

O povo da Bíblia sempre adorou Javé, que o libertou do Egito, deu para ele a terra prometida e exigiu justiça e fraternidade. Para os que formavam esse povo, adorar outros deuses significava criar uma sociedade opressora, onde os pobres se tornariam cada vez mais pobres e os ricos cada vez mais ricos; para eles, adorar outros deuses significava abandonar o projeto de liberdade e vida, partilha e fraternidade, e introduzir a escravidão e a morte, a exploração e a opressão.

Para refletir

Hoje ainda existe idolatria? Cite exemplos. Na prática, o que significa adorar o verdadeiro Deus?

20. ERA DE PROFETAS

Com a divisão do reino de Salomão, inicia-se uma era de *profetas*. Isso não quer dizer que antes eles não existissem. Basta lembrar o profeta Natã na corte de Davi. Mas é neste momento da história do povo de Deus que os profetas surgem com uma característica específica, que influenciará a vida de todo o povo. E esses profetas começam a surgir no reino de Israel (Norte).

A liderança do profeta

O reino de Israel não adotou a dinastia (sucessão de pai para filho no poder). A escolha de um novo rei dependia muito das forças sociais existentes. Nesse sentido, os militares eram privilegiados, pois tinham a força das armas e carros de guerra. Para que o povo pudesse também ser uma força que pesasse nas decisões dos rumos do país, era necessário uma liderança com credibilidade diante do povo e com coragem suficiente para não ceder às pressões militares e da elite. E os profetas assumiram essa função.

A credibilidade do profeta

O povo acredita nos profetas porque eles são *homens de Deus*. Uma história sobre o profeta *Elias*, contada pelos nortistas e conservada na Bíblia, nos ajuda a entender por que o povo via o profeta como homem de Deus. Certa vez o filho de uma viúva ficou doente e morreu. Elias invocou Javé e pediu que ele desse de novo a vida ao menino. Javé atendeu à súplica de Elias, e o menino tornou a viver. Então a mulher disse a Elias: "Agora sei que você é um homem de Deus, e que de fato anuncia a palavra de Javé" (cf. 1Rs 17,17-24). A história nos mostra que o profeta anuncia as coisas de Deus, porque ele está inteiramente empenhado em trazer *vida* para o povo sofrido. Ele não somente fala, mas está comprometido com a vida dos pobres e oprimidos, sem interesses particulares. Sem prática libertadora, que traz vida ao povo, não existe credibilidade na palavra, por mais libertadora que ela possa parecer.

A coragem do profeta

Outra história sobre Elias, ambientada no tempo do rei *Acab*, mostra-nos a coragem dos profetas. Um funcionário do palácio foi encarregado pelo rei Acab para procurar água, pois a seca estava devastando o país. De repente, ele encontrou Elias, e este lhe disse que queria falar com o rei. Acontece que o rei Acab estava procurando Elias há um bom tempo, e não admitia que alguém que o encontrasse o deixasse escapar. O profeta já estava incomodando o rei. O funcionário ficou com medo que Elias fugisse. Se isso acontecesse, poderia até ser morto. Contudo, Elias prometeu que enfrentaria o rei e não fugiria. E, de fato, assim fez. (Conferir a história toda em 1Rs 18,1-19).

Os profetas que virão em seguida agirão da mesma maneira: falarão diretamente e sem medo aos reis, ministros, sacerdotes e à classe alta, defendendo o povo sofrido. Com suas denúncias colocam em xeque a própria instituição, e por isso serão perseguidos e até mortos.

Ler a história com fé

Seria chover no molhado dizer alguma coisa sobre a fé do povo da Bíblia, quando se trata dos profetas. Toda a vida e ação do profeta é vista como presença da própria ação e palavra de Deus na história. Eles são os porta-vozes de Deus, homens de Deus. Tanto assim que a palavra deles é para o povo não uma palavra qualquer que possa ser contestada, mas é a própria palavra de Javé.

Para refletir

A partir dos critérios de liderança, credibilidade e coragem, poderíamos dizer que entre nós existem profetas? Vocês poderiam citar alguns? Poderíamos chamá-los de homens de Deus?

21. PORTA-VOZES DE DEUS

O profeta tem liderança e credibilidade junto ao povo, e tem coragem para enfrentar os donos do poder. Vamos agora ver de onde provém a sua convicção, onde se assentam as raízes da sua palavra.

A convicção do profeta

O profeta raramente emite apenas uma opinião sua, dizendo: "Talvez...", "Acho que...", "Pode ser que seja..." Quase sempre suas palavras são ditas sem vacilações e de maneira categórica, em nome do próprio Deus. O profeta repete continuamente: "Palavra de Javé", "Oráculo de Javé", "Assim diz Javé". Por exemplo: "*Assim diz Javé*: Por três crimes de Israel e pelo quarto, eu não vou perdoar: porque vendem o justo por dinheiro e o necessitado por um par de sandálias; pisoteiam os fracos no chão e desviam os pobres do bom caminho!" (cf. Am 2,6-8).

Ligado às raízes do povo

Tal convicção do profeta não cai do céu de pára-quedas. Para ele, o ponto de partida para rever e julgar o que está acontecendo no presente é a sociedade justa e fraterna que Israel construiu no início da sua existência (cf. acima, pp. 21-22). Esse início da história do seu povo está intimamente ligado com o Deus no qual ele acredita: Javé, o Deus libertador. O profeta acredita que a vontade de Deus é a fraternidade e a justiça e, por isso, ele tem certeza de que está falando em nome de Deus quando exige isso dos governantes e de toda a classe dirigente do seu país. Para o profeta, todas as tradições, que foram se acumulando durante o tempo, são genuínas se ajudam a construir o projeto de Deus no meio do povo. Se elas mantêm a opressão e a injustiça, devem ser completamente revistas ou até mesmo rejeitadas. Por exemplo: o culto nos santuários é uma tradição antiga de Israel, mas no momento em que esses cultos e festas são usados como instrumento para manter a opressão, o profeta não duvida e denuncia em nome de Javé: "Eu detesto e desprezo as festas de vocês; tenho horror dessas reuniões. Ainda que vocês me ofereçam sacrifícios, suas ofertas não me agradarão, nem olharei para as oferendas gordas. Longe de mim o barulho de seus cânticos, nem quero ouvir a música de suas liras. Eu quero, isto sim, é ver brotar o direito como água e correr a justiça como riacho que não seca (Am 5,21-24; cf. Is 1,10-20).

Do lado dos mais fracos

O ataque sem tréguas contra reis, príncipes, chefes, sacerdotes, comerciantes, profetas comprometidos com os latifundiários, é uma constante na atividade dos profetas. Essas denúncias, porém, não são fruto de uma ideologia barata, mas a posição convicta do profeta; ele está do lado das camadas empobrecidas e marginalizadas da sociedade: pobres, indigentes, fracos, órfãos, viúvas, estrangeiros... Essa posição do profeta, entretanto, não é despolitizada, mas reflete a consciência de que o regime monárquico e o sistema tributário são a causa fundamental da exploração e opressão que existem no país. Em outras palavras, os profetas, ao tomarem o partido dos mais fracos, eles o fazem não de maneira assistencialista ou promocional, mas exigindo uma estrutura de sociedade justa e fraterna, isto é, que modifique a política e a economia existentes (cf. Os 13,9-11).

Ler a história com fé

Ao se posicionar do lado dos oprimidos e marginalizados, os profetas o fazem em nome da própria fé. O único Deus deles é Javé, que se revelou a Moisés como aquele que viu a miséria do seu povo, ouviu o seu clamor por causa dos opressores, conheceu suas angústias e desceu para libertá-lo da mão dos egípcios, para fazê-lo subir daquela terra para uma terra boa e vasta (cf. Ex 3,7-10). A fé do profeta o faz porta-voz dos marginalizados para exterminar um sistema de opressão. O profeta é porta-voz do mesmo Deus do êxodo, que libertou os hebreus do regime da escravidão.

Para refletir

"Religião e política se misturam". O que vocês acham dessa opinião?

Assumir a causa do pobre exige lutar por transformações políticas e econômicas, ou não? Procurem analisar a situação concreta do país.

22. POVO CALADO, POVO DOMINADO

Calar para não piorar?

Dentro do povo de Deus, quando o projeto da sociedade justa e fraterna é abandonado, sempre aparecem pessoas que catalisam a insatisfação popular, procurando desestabilizar o sistema opressor e injusto. Não são a ordem estabelecida e a "paz social" que caracterizam o povo que Deus quer. A mentalidade de que o conflito é abominável e deve ser rejeitado não faz parte da história do povo da Bíblia. Ele tem consciência de que novas relações precisam ser estabelecidas, quando um sistema e regime de governo não condizem com o projeto inicial de sua existência: *partilha*, para que todos possam usufruir dos bens produzidos; *liberdade*, para que todos possam ser agentes dentro da sociedade.

Quando se instaura a disparidade social, a apatia do povo é sacudida nas bases, a fim de desinstalar a elite que domina e só cuida de seus interesses. Foi o que aconteceu no Reino de Israel (Norte), no período que vai desde o rei Acab até a destruição da capital Samaria e a invasão pela Assíria. Isso não quer dizer que o povo conseguiu o que pretendia. Ao contrário, parece que a situação piorou cada vez mais.

Entretanto, a ruína do país não é vista como conseqüência dessa luta do povo para encontrar o modelo de sociedade pretendida, mas sim como conseqüência da obstinação e opressão exercida pela elite dominante sobre o povo. O mal não está em procurar saídas novas, mas em querer manter o país em condições contrárias ao ideal de sociedade com o qual o povo de Israel começou a existir.

Nem sempre dá certo

Contra o rei *Acab* e a rainha Jezabel, o povo se insurgiu sob a liderança do profeta *Elias*. Este lutou com unhas e dentes contra o culto a Baal que fora introduzido oficialmente em Israel por Jezabel. Tal culto descaracterizava o projeto de Javé (cf. acima, pp. 70-73: *Idolatria e opressão*).

O profeta *Eliseu* se opôs aos filhos de Acab, que exerceram o poder depois deste. A mando do próprio profeta, um de seus discípulos teve a coragem de ungir o general *Jeú* como rei, provocando assim um golpe de Estado (cf. 2Rs 9,1-13). De fato, Jeú acabou com o culto de Baal em Israel e exterminou toda a elite, através de um banho de sangue.

Tudo isso foi bom para o povo? Parece que não. Além da forma extremamente violenta como agiu, Jeú teve que enfrentar inimigos externos, e não conseguiu conter os abusos de grandes proprietários, de modo que os camponeses ficaram em situação semelhante à anterior.

É preciso atingir as raízes da opressão

Com a subida de *Jeroboão II* ao trono, a situação era aparentemente melhor: grandes colheitas, comércio intenso, conquista de territórios. Um "milagre" econômico e político. Entretanto, a disparidade social não diminuiu. Ao contrário, aumentou ainda mais, intensificando a miséria no campo, enquanto a elite se enriquecia sempre mais e o luxo nas cidades era escandaloso.

Os defensores da causa do povo marginalizado, porém, não desistiram, dizendo: "Isso aqui não tem jeito; não adianta lutar". É nessa época que surge o profeta *Amós*, que denunciou o sistema e procurou alertar o povo. Eis um exemplo de suas denúncias: "Ai dos que vivem tranqüilos em Sião e se sentem seguros no monte de

Samaria!... Vocês pensam que estão afastando o dia fatal, aplicando o poder da violência. Deitam-se em camas de marfim; esparramam-se em cima de sofás, comendo cordeiros do rebanho e novilhos cevados em estábulos; cantarolam ao som da lira, inventando, como Davi, instrumentos musicais; bebem canecões de vinho, usam os mais caros perfumes, sem se importar com a ruína do povo! Por isso, vocês irão acorrentados à frente dos exilados. Acabou-se a festa dos boas-vidas" (Am 6,1-7).

Quando Jeroboão II morreu, muitos golpes de Estado se sucederam, sempre preservando os interesses da elite. Foi quando o profeta *Oséias* entrou em cena. Ele negou que a monarquia pudesse ser instrumento para levar à frente o projeto de sociedade que Deus quer: "Eu o destruirei, Israel, e quem poderá socorrê-lo? Onde está agora o seu rei, para que possa salvar você, e onde estão os juízes de suas cidades? Você me pediu: 'Dá-me um rei e príncipes'. Na minha ira eu lhe dei um rei e, no meu furor, eu o retomo" (Os 13,9-11).

Ler a história com fé

Denunciar as injustiças, defender os oprimidos e buscar um sistema que possa estabelecer a fraternidade e a liberdade não é atitude de gente anormal, desequilibrada, mas é fidelidade ao Deus no qual cremos. Assim nos diz Amós, ao descrever sua vocação: "Um leão rugiu, quem não temerá? O Senhor Javé falou: quem não profetizará?" (Am 3,8).

Para refletir

O nosso país caminha para uma sociedade mais justa e fraterna? O que está impedindo que isso aconteça? Como é que agimos e reagimos diante da situação em que se encontra o país?

23. FIM DO REINO DE ISRAEL

Os grandes entram de novo em cena

No início da formação do povo de Israel, era o Egito quem dominava toda a região e formava o grande império da época. Com a decadência progressiva do Egito, nenhuma outra grande potência surgiu. Agora, porém, lá pelos lados do leste, desponta na *Mesopotâmia* (= Entre Rios) um império poderoso: a Assíria (cf. mapa). O sistema de dominação assíria se concretizava em várias etapas. Primeiro, a força de um país era testada através de

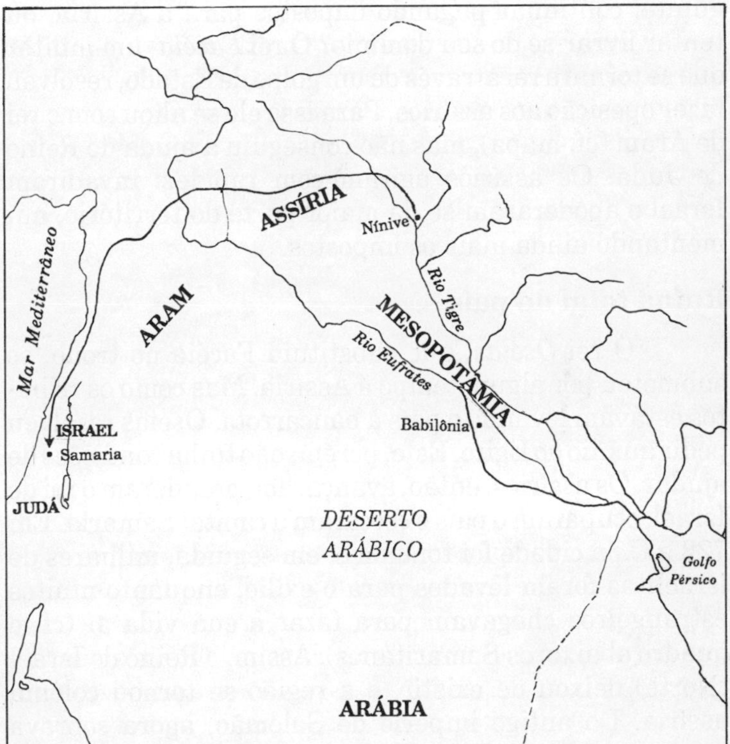

incursões e tomada de alguma parte do território. Depois, os assírios exigiam que o país pagasse impostos, se quisesse ter o privilégio de conservar a independência política. Por fim, se os impostos não eram pagos ou houvesse alguma rebelião, eles invadiam, arrasavam o país e a capital, levavam para o exílio a classe dirigente e introduziam gente de outros lugares. Assim a nação conquistada se tornava simples colônia, sem direito político, econômico ou religioso.

Por isso, a grande preocupação dos últimos reis de Israel (Norte) foi encontrar um modo de conter o avanço da Assíria, que já estava cobrando impostos. Pretensão ousada para um país no qual reinavam a anarquia política e desnível social muito grande. A questão era a seguinte: continuar pagando impostos para a Assíria, ou tentar livrar-se do seu domínio? O rei *Facéia*, um militar que se tornara rei através de um golpe de Estado, resolveu fazer oposição aos assírios. Para isso ele se aliou com o rei de Aram (cf. mapa), mas não conseguiu a ajuda do Reino de Judá. Os assírios agiram com rapidez: invadiram Israel e apoderaram-se da maior parte do território, aumentando ainda mais os impostos.

Ruína total do país

O rei *Oséias*, que substituiu Facéia no trono, se submeteu por algum tempo à Assíria. Mas como os tributos estavam levando o país à bancarrota, Oséias resolveu pedir auxílio ao Egito. Este, porém, não tinha condições de ajudar. Os assírios, então, avançaram, prenderam o rei de Israel, ocuparam o país e cercaram a capital Samaria. Em 722 a.C., a cidade foi tomada e, em seguida, milhares de israelitas foram levados para o exílio, enquanto muitos estrangeiros chegavam para fazer a sua vida aí (cf. o quadro abaixo: os Samaritanos). Assim, o Reino de Israel (Norte) deixou de existir, e a região se tornou colônia assíria. Do antigo império de Salomão, agora sobrava apenas o pequeno Reino de Judá, no Sul.

SAMARITANOS

No Novo Testamento, os samaritanos constituem um grupo que vivia na região da Samaria, e que era desprezado pelos judeus (cf. Jo 4,9).

A origem dos samaritanos remonta à época em que o Reino de Israel foi conquistado pelos assírios. Estes, quando invadiram o país e o transformaram em colônia, instalaram aí estrangeiros de muitas outras regiões. Com o tempo, eles foram se misturando com os israelitas que aí permaneceram, formando uma raça considerada impura pelos judeus.

Os samaritanos, porém, sempre observaram escrupulosamente as prescrições da Lei ou Pentateuco. Não aceitavam os outros escritos do Antigo Testamento e não freqüentavam o Templo de Jerusalém. O único lugar de culto deles era o monte Garizim, que ficava no Norte. Acreditavam na vinda do Messias, que chamavam de *Taeb* (= Aquele que volta). Esse messias, porém, não seria descendente de Davi, como pensavam os judeus, mas sim um novo Moisés.

Dois textos dos Evangelhos falam especificamente dos samaritanos: o capítulo 4 do Evangelho de São João e a parábola do Bom Samaritano, que está em Lucas (10,25-37).

Ainda hoje existe um grupo de samaritanos, que conserva seus costumes e crenças.

Ler a história com fé

Embora o povo da Bíblia não aprove nenhum tipo de dominação interna ou externa, a presença de inimigos estrangeiros era vista como castigo de Deus para sanar pela raiz os desmandos e injustiças cometidos. A submissão total aos estrangeiros significava o *Dia da ira* de Deus, que julgava seu povo. A invasão inimiga era a forma com que Deus realizava o último apelo de conversão, para que seu povo tomasse consciência de seus desvios.

Para refletir

As grandes potências sempre foram uma desgraça para outros países, porque a ganância do poder e da conquista provoca inevitavelmente escravidão e morte. Hoje, quais são as grandes potências mundiais? Como elas agem? Existe alguma forma de não ser dominado por elas?

24. OS INIMIGOS DO POVO

Tempos ruins

Enquanto o Reino de Israel caminhava para o desaparecimento, o Reino de Judá sofria lenta desintegração.

O rei *Jorão* havia se casado com Atalia, parente de Acab e Jezabel. Ele era muito doente, morreu logo e *Atalia* assumiu o poder. Foi a primeira vez que em Judá governou alguém que não pertencia à dinastia de Davi. Para não ter concorrência, Atalia eliminou todos os que eram descendentes de Davi, menos o menino Joás, que a tia conseguiu esconder no Templo. Atalia, porém, sempre foi considerada intrusa e não tinha apoio popular. Quando Joás completou sete anos, o povo o aclamou rei e executou Atalia (cf. 2Rs 11).

O longo reinado de *Joás* foi ambíguo: no começo, conseguiu eliminar o culto a Baal, mas seus fracassos militares e indecisão o levaram a ser detestado e assassinado.

O Reino de Judá conheceu um pouco de prosperidade na época do rei *Ozias*, que conquistou território, incentivou a agricultura e o comércio.

Testa de ferro

Quando as coisas pareciam melhorar, Judá teve que enfrentar o mesmo problema que o Reino de Israel: a chegada da Assíria. É a época dos reis *Joatão* e *Acaz*. Este preferiu pagar impostos aos assírios a lutar contra eles. O profeta Isaías exerceu grande parte de sua atividade nesse tempo. Isaías seguiu a esteira de Amós contra a injustiça social (cf. Is 1,10-20). Além disso, ele criticou veementemente as alianças com as grandes potências.

Para o profeta, pedir auxílio a uma nação poderosa é fazer o papel de testa de ferro, porque um império só aceita amizade com nações mais fracas para conseguir apoio contra outro império. Quando sai vitorioso, faz do aliado "gatos e sapatos". Foi o que aconteceu: Acaz pagou caro sua aliança com a Assíria: teve que aceitar deuses assírios, arcar com pesados impostos, que acabaram esvaziando os recursos econômicos e sobrecarregando mais o povo. Sinais de decadência moral e social começaram a aparecer.

Tentativa de reforma

Ezequias, filho de Acaz, iniciou a reforma, tentando reunir novamente as tribos para formar um grande reino. Seu projeto era apoiado pelo senso de patriotismo e pelo descontentamento diante dos tributos pagos à Assíria. Tal ideal se apresentava viável na época, porque a Assíria estava com sérios problemas internos e enfrentando rebeliões em outros lugares. Parte importante da reforma de Ezequias consistia em abolir os deuses assírios, que eram sinal de dependência, e volta ao culto de Javé.

Essa tentativa, porém, foi frustrada quando Senaquerib, rei da Assíria, conquistou muitas cidades no interior de Judá e armou cerco contra Jerusalém, que se salvou por um triz (cf. 2Rs 18-19).

Lição não aprendida

Reformas feitas dentro de um sistema que tende a criar e institucionalizar injustiças só melhora as coisas por algum tempo. Não obstante toda a boa vontade de Ezequias, a situação interna de Judá era calamitosa, principalmente quanto aos camponeses. Os grandes de Jerusalém, aproveitando os tempos de guerra, obrigavam os camponeses da planície a vender suas propriedades e casas, formando assim latifúndios e deixando muita gente sem terra e na miséria.

A voz profética de *Miquéias* se levantou para denunciar esses latifundiários: "São vocês os inimigos do meu povo: de quem está sem o manto, vocês exigem a veste; a quem vive tranqüilo, vocês tratam como se estivesse em guerra; vocês expulsam da felicidade de seus lares as mulheres do meu povo, e tiram dos seus filhos a liberdade que eu lhes tinha dado para sempre" (Mq 2,8-9). E ele não se contenta em atacar os efeitos, mas vai direto às causas: "Ouçam isto, chefes da casa de Jacó; prestem atenção, governantes de Israel, vocês que têm horror ao direito e entortam o que é reto; constroem Sião com sangue e Jerusalém com perversidade. Os chefes de vocês proferem sentença a troco de suborno; seus sacerdotes ensinam a troco de lucro, e seus profetas dão oráculos por dinheiro. E ainda ousam apoiar-se em Javé, dizendo: 'Por acaso Javé não está no meio de nós? Nada de mau nos poderá acontecer'. Por isso, por culpa de vocês, Sião será arada como um campo, Jerusalém será um montão de ruínas, e o monte do Templo será uma colina cheia de mato!" (Mq 3,9-12).

Ler a história com fé

Quando Miquéias afirma que os latifundiários são os verdadeiros inimigos do povo, ele está transmitindo um dado de fé: terra e casa são dom de Deus para todos, e não apenas privilégio dos mais fortes e poderosos.

Para refletir

O nosso país é "testa de ferro" de outros países mais fortes militar e economicamente? Por quê? A reforma agrária é mania de subversivos, ou instrumento necessário para que todos possam participar do direito à terra, dom de Deus para todos?

25. ENCONTRANDO AS RAÍZES

Submissão ao império

O Reino de Judá ficou totalmente submisso aos assírios durante cinqüenta anos. O rei *Manassés* aderiu ao imperialismo assírio, aceitando que no país fossem introduzidas divindades, costumes e até o modismo estrangeiro (cf. Sf 1,8); pagou sempre em dia os tributos exigidos, forneceu material para projetos de construção e tropas para auxiliar as conquistas assírias. Até sacrifícios humanos foram aceitos no culto. Com a decadência da religião de Javé, chegou o desprezo pela Lei de Javé, isto é, violências e injustiças.

Nessa época, a Assíria tinha atingido o máximo do seu poder, e qualquer revolta contra o seu domínio poderia ser fatal. Entretanto, tudo leva a crer que Manassés não se submeteu porque não tinha outra saída, mas o fez até com entusiasmo. Certamente essa submissão benevolente foi útil para a classe dirigente de Judá, mas o povo sofreu amargas conseqüências.

O "povo da terra" reage

Com a mesma rapidez com que subiu, a Assíria começou a descer: rebeliões começaram a pipocar em todo o império, principalmente na Babilônia. Em Judá, a crescente decadência da Assíria e a morte de Manassés reacenderam novas esperanças, principalmente para os camponeses explorados. O rei *Amon*, que tinha substituído o pai no trono, foi assassinado. Um grupo politicamente forte com bases na zona rural ("povo da terra") interveio, colocou no trono o menino *Josias* e, com inteiro apoio popular, iniciou um trabalho de independência.

O livro encontrado

Um achado muito importante forneceu as diretrizes para que essa reforma tivesse grande impulso e sucesso. Em 2Rs 22 conta-se que o livro da Lei foi encontrado no Templo pelo sacerdote Helcias. De que livro se trata? Certamente é a parte central do Código do Deuteronômio (Dt 12-26). Aí estão contidas leis elaboradas no Norte, leis que procuravam preservar a fidelidade ao projeto de sociedade justa e fraterna. O livro foi trazido pelos nortistas que escaparam de Israel, quando este foi invadido pelos assírios. A leitura do livro, declarado autêntico pela profetisa Hulda, estimulou Josias a desenvolver a reforma religiosa, política e econômica na fidelidade a essas leis. A assembléia convocada por Josias se assemelha àquela realizada em Siquém por Josué (cf. acima, p 26).

Eliminar a idolatria, raiz da opressão

O segundo livro dos Reis se estende em narrar como Josias eliminou todo o culto estrangeiro, destruiu os altares, o sacerdócio ilegítimo e purificou o Templo (2Rs 23). O testemunho do profeta *Jeremias*, porém, mostra claramente que a ação de Josias não se restringiu a uma reforma cultual, mas dimensionou seu governo com justiça, sem a qual não existe verdadeira adoração a Javé: "Ele fez o que é justo e direito, e no seu tempo tudo correu bem para ele. Ele julgava com justiça a causa do pobre e do indigente; e tudo corria bem para ele! Isto não é conhecer-me? — oráculo de Javé" (Jr 22,15-16).

Certamente Josias estava consciente de que sem a prática da justiça não haveria mudança nenhuma. De fato, o livro lido em sua presença diz claramente qual a função do governante: "O rei não deverá multiplicar cavalos para si, nem fazer que o povo volte ao Egito, para aumentar sua cavalaria, pois Javé disse a vocês: 'Nunca mais voltem por esse caminho'. Ele também não deverá multiplicar o número de suas mulheres, para que sua mente não se desvie. E também não acumulará para si prata e ouro... Não se levantará orgulhosamente sobre seus irmãos, nem se desviará destes mandamentos, nem para a direita, nem para a esquerda..." (Dt 17,16-20). E ainda: "Nomeie juízes e oficiais de justiça para cada uma de suas cidades... para que julguem o povo com sentenças justas. Não perverta o direito, não faça diferença entre as pessoas, nem aceite suborno, pois o suborno cega os olhos dos sábios e falseia a causa dos justos. Busque somente a justiça..." (Dt 16,18-20).

Ler a história com fé

A participação na luta para que haja justiça é uma atitude exigida pela fé, pois defender a causa do pobre é realizar a vontade de Deus e combater a idolatria. "Isso não é conhecer-me?", pergunta Javé por meio de Jeremias.

Para refletir

Vocês acham que o nosso país não tem saída? Ou é a classe dominante do Brasil que, para preservar seus interesses, não quer que o povo tenha mais vida? A nova Constituição tem muitos defeitos, mas já começa a expressar os anseios do povo por uma sociedade justa. Ela está sendo observada? Quem a está boicotando? Vocês já leram a Declaração Universal dos Direitos Humanos?

26. A CAMINHO DA RUÍNA

A reforma de Josias tinha iniciado um proceso de modificações profundas no Reino de Judá: eliminação da idolatria, não pagamento de tributos, justiça social e integração do antigo Reino do Norte. Mais uma vez, porém, os acontecimentos internacionais truncaram o ressurgimento de novas esperanças para o povo israelita.

Mudanças de dono

Depois de dominar por longo período na região, o Egito entrou em processo de decadência lenta e contínua.

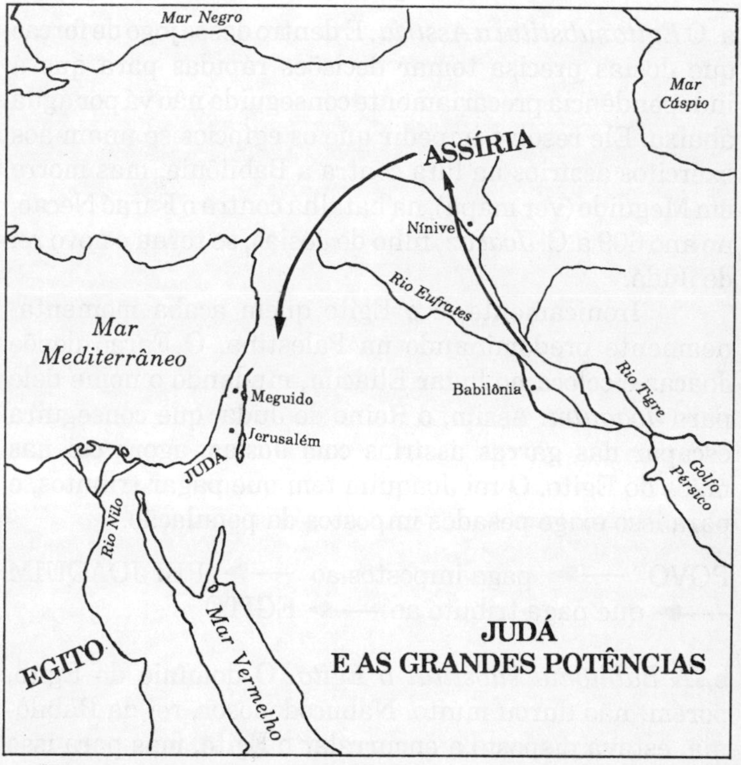

JUDÁ E AS GRANDES POTÊNCIAS

Aproveitando-se disso, outras nações se levantaram e se expandiram, mas sem possuírem a consistência própria do Egito. Esse período de contínuas mudanças na área internacional se iniciou com a Assíria que, no momento, era o opressor de turno. Entretanto, ela já enfrentava sérias dificuldades para manter seu domínio: disputas internas pelo poder e revoltas constantes dos países dominados minam suas forças e a possibilidade de controle da região.

No sul da Mesopotâmia (ver mapa), a antiga *Babilônia* consegue se reerguer, ataca a Assíria e destrói Nínive, a capital (conferir o livro do profeta *Naum*), mostrando sua intenção imperialista. O Egito tenta ainda jogar suas últimas cartas para readquirir seu prestígio na região.

a. O *Egito substitui a Assíria*. É dentro desse jogo de forças que Josias precisa tomar decisões rápidas para que a independência precariamente conseguida não vá por água abaixo. Ele resolve impedir que os egípcios se unam aos exércitos assírios na luta contra a Babilônia, mas morre em Meguido (ver mapa), na batalha contra o Faraó Necao, no ano 609 a.C. *Joacaz*, filho de Josias, se torna o novo rei de Judá.

Ironicamente, é o Egito quem acaba momentaneamente predominando na Palestina. O Faraó depõe Joacaz e coloca no lugar Eliacim, mudando o nome dele para *Joaquim*. Assim, o Reino de Judá, que conseguira escapar das garras assírias com Josias, agora cai nas mãos do Egito. O rei Joaquim tem que pagar tributos, e para isso exige pesados impostos da população.

POVO ——▶ paga impostos ao ——▶ REI JOAQUIM
——▶ que paga tributo ao ——▶ EGITO

b. A *Babilônia substitui o Egito*. O domínio do Egito, porém, não durou muito. Nabucodonosor, rei da Babilônia, estava disposto a encurralar o Egito, mas para isso era necessário minar uma cabeça de ponte: o Reino de Judá. E Nabucodonosor consegue isso com facilidade, através de bandos mercenários. Joaquim, então, passa a pagar tributo à Babilônia.

POVO → paga impostos ao → REI JOAQUIM → que paga tributo à → BABILÔNIA

Dominadores e dominados

O povo sofre dominação dupla: dos estrangeiros, para os quais vai uma grande parte da renda nacional, e também da própria classe dirigente do país. Apesar da situação crítica, esta não renuncia a suas mordomias e luxo, onerando ainda mais a vida do povo. Tanto no tempo de Joaquim como no de seu sucessor *Jeconias* (ou Joaquin), exibiam uma corte escandalosamente luxuosa e corrupta. É o que nos diz *Jeremias*: "Ai daquele que constrói a sua casa sem justiça e seus aposentos sem direito, que faz o próximo trabalhar por nada, sem dar-lhe pagamento, e que diz: 'Vou construir uma casa grande, com imensos aposentos.' E faz janelas, recobre a casa de cedro e a pinta de vermelho. Você pensa que é rei porque tem mais cedro que os outros?... Você não vê outra coisa e não pensa a não ser no lucro, em derramar sangue inocente e em praticar a opressão e a violência" (Jr 22,13-15.17). Jeremias está falando do rei Joaquim.

POVO
- ↗ paga impostos para sustentar a classe dominante do país
- ↘ paga impostos para os estrangeiros que dominam o país

(Ler 2Rs 23,18-24,9).

Ler a história com fé

Esse período é tão crítico que nem mesmo com a fé o povo da Bíblia consegue ser otimista; ao contrário, vê Javé pronto a desencadear sua ira, pois o que estava acontecendo é descrito como "mal aos olhos de Javé". A única saída é a conversão (ler Jr 22,1-5).

Para refletir

Os países mais poderosos dominam a América Latina? Como? Mesmo que uma pessoa não pague imposto de renda, ela paga impostos de tudo o que come, bebe e usa. Você sabe para onde vai esse dinheiro todo? Você é otimista ou pessimista em relação à situação do nosso país? Por quê? Você enxerga alguma saída? Qual?

27. NO FUNDO DO POÇO

"Partidos" políticos

Na antigüidade não havia partidos políticos como os nossos, mas sempre existiram grupos que se definiram por um rumo ou outro da sociedade. No Reino de Judá, esses grupos exerceram papel fundamental para determinar os rumos do país. Já vimos como o grupo chamado "povo da terra" conseguiu colocar Josias no poder (cf. acima, p. 90). No tempo do rei *Joaquin* (também chamado Jeconias) havia dois "partidos" fortes: um que defendia a aliança com o Egito e outro que julgava oportuno estar do lado da Babilônia. Na verdade, se tratava de grupos da classe dominante, pouco interessados com a sorte do povo. A população não tem condições de reagir, e sua participação é muito reduzida, sem organização suficiente para influir nos destinos do país.

A Babilônia chega mais

Nabucodonosor, rei da Babilônia, disposto a assegurar o corredor palestinense, vai até Jerusalém para quebrar qualquer tentativa de aliança com o Egito. Cerca a cidade e leva para a Babilônia grande parte dirigente do país. O rei Joaquin, que permaneceu ambíguo em sua política externa, consegue assegurar para si uma posição privilegiada, mesmo sendo levado para o exílio. Nabucodonosor nomeia Matanias como rei, mudando-lhe o nome para *Sedecias*. Estamos no ano 597 a.C. (ler 2Rs 24,8-17).

Fraqueza da autoridade

Durante os dez anos seguintes, a situação do Reino de Judá foi degenerando cada vez mais, seja por causa da imperícia política do rei Sedecias, como pelo empobrecimento cada vez maior da população. Sedecias deixou-se levar por políticos interesseiros, chegando ao ponto de ficar totalmente nas mãos deles. Instigado pelo grupo partidário do Egito, armou uma revolta contra a Babilônia, mas não recebeu apoio da outra facção. Essa divisão deixou o rei inseguro e temeroso, e ele acabou ficando completamente isolado. Um trecho de uma de suas conversas com Jeremias mostra claramente isso (cf. Jr 38).

A ruína

O clima instável em Judá e a fraqueza de Sedecias foram a maior ajuda que Nabucodonosor teve para as suas pretensões. Depois de um cerco prolongado, a cidade de Jerusalém foi invadida, saqueada e incendiada juntamente com o Templo. O resto da classe dirigente foi levado para o exílio, e o rei Sedecias teve os seus olhos furados, depois de ver seus filhos mortos em sua presença. Era o ano 586 a.C. O Reino de Judá não existia mais, e a região passava a ser colônia da Babilônia (leia 2Rs 25 e Lm).

A posição dos profetas

Dentro da situação crítica pela qual passou o Reino de Judá nos últimos anos de sua existência, vários profetas exerceram sua atividade, procurando um discernimento, mais preocupados com a vida do povo do que com a segurança nacional.

1. *Jeremias*. Desde o início de sua atividade (627 a.C.), Jeremias mostra que a hipocrisia e injustiça podem conduzir a uma catástrofe irremediável. É famoso o seu discurso pronunciado na época do rei Joaquim, onde mostra que só a prática da justiça pode salvar o país (cf. Jr 7,1-15). Por isso, foi torturado e preso. Não sendo ouvido, o profeta parte para um realismo assustador: a única saída para o país é se entregar à Babilônia, para que o desastre não seja total. Foi acusado de traidor, mas de fato as coisas aconteceram como ele havia previsto.

2. *Habacuc*. É um profeta não conformado com a idéia de que a invasão de uma potência estrangeira possa melhorar as coisas para o povo. Diante da injustiça interna e opressão externa, ele anuncia outra saída: a tenacidade do povo em se manter fiel ao projeto de justiça. Isto é: a salvação do país depende do povo, que precisa sair de sua passividade e se tornar agente dentro da história. Mesmo que esse processo seja mais demorado (cf. Hab 1-2).

3. *Ezequiel*. Do exílio, para onde fora levado em 597 a.C., ele insiste que é inútil tentar reformar um sistema de sociedade que é injusto por dentro e na essência. Para Ezequiel, é preciso encontrar uma alternativa de sociedade, totalmente nova (ler Ez 11,14-21).

Ler a história com fé

Quando parece que não há mais saída, dentro do povo de Deus surgem pessoas que, em nome de Deus, trazem nova luz e esperança. É o caso do profeta Habacuc. Tudo parecia perdido para Judá: governantes corruptos e injustos, e a opressão estrangeira cada vez mais forte. Tudo indicava que não havia salvação nem de dentro, nem de fora. Contudo, no fundo do poço, o profeta vê na fidelidade do povo ao projeto de Javé o início de uma grande arrancada histórica: "O justo viverá por sua fidelidade" (Hab 2,4).

Para refletir

Você é otimista ou pessimista com a situação do nosso país? Existe saída para a situação? De dentro, ou de fora? Qual? Há algum partido político que possa ser instrumento de transformação para a nossa sociedade?

28. TUDO ACABADO?

A passagem do Sistema das Doze Tribos para o regime monárquico havia iniciado uma nova fase na história do Povo de Deus. A destruição de Jerusalém marca outra grande linha divisória. De um golpe, a sua existência nacional terminou e, com ela, todas as instituições sobre as quais a vida de Israel se tinha expressado. Não era mais um país e não tinha mais rei, capital, Templo. Israel desapareceu do mapa político do Oriente Médio, pois todo o seu território pertence agora à Babilônia. Os israelitas são um aglomerado de indivíduos arrancados de suas raízes e vencidos, e não existe nenhum sinal externo que os caracterize como povo. Para onde foram os israelitas?

O pessoal do Norte

Quando o Reino de Israel foi invadido em 722 a.C., milhares de pessoas foram exiladas na Assíria, e a população restante se misturou com estrangeiros. Agora, esse território também faz parte do império babilônico e a vida aí é bastante precária, baseada na agricultura e comércio. Os que aí viviam eram desprezados pelos israelitas do Sul, e criou-se um clima de rixa e até de ódio, que vai durar muito tempo, com conseqüências graves.

O pessoal que ficou em Judá

Freqüentemente imaginamos que o território de Judá tenha ficado vazio depois que a Babilônia tomou Jerusalém e levou muita gente para o exílio. Mas isso não é correto: os exilados pertenciam à classe dirigente, intelectuais e profissionais especializados. Muitos permaneceram aí, principalmente os camponeses. É difícil saber o tipo de vida que levava o pessoal que ficou em Judá durante os cinqüenta anos de domínio babilônico. Certamente foi uma época difícil, de vida precária e triste. Como diz o livro das Lamentações: "Nossa herança passou para estrangeiros, nossas casas são agora de gente estranha. Agora somos todos órfãos, pois perdemos nosso pai; nossas mães ficaram viúvas. Temos que comprar a água que bebemos e pagar a lenha que usamos. Com a canga no pescoço somos empurrados; estamos cansados, pois eles não dão folga... Arriscamos a própria vida pelo pão... Acabou a alegria que nos enchia o coração, nossa dança mudou em luto... o monte Sião está desolado e por ele passeiam as raposas..." (cf. Lm 5).

O Templo, mesmo incendiado, continuava a ser lugar sagrado, e aí, de vez em quando, havia uma espécie de culto. Embora houvesse em Judá pessoas com esperança, não era possível articular qualquer forma de organização para unir o povo.

O pessoal que fugiu

Durante a invasão babilônica, muitos fugiram do país, buscando lugares mais seguros para salvar a própria vida, principalmente no Egito. Jeremias foi levado junto com um desses grupos. Aí eles constroem colônias próprias, e uma das mais conhecidas é a de Elefantina. Os judeus chegam até a construir um templo nesse local, e adotam uma religião sincretista, isto é, uma mistura da crença em Javé com outras crenças, criticada por Jr 44.

O pessoal no exílio

As autoridades babilônicas estabeleceram os exilados em lugares abandonados. Embora a vida deles não seja fácil, pelo menos no começo, não devemos imaginar que os judeus foram trancafiados em prisões ou masmorras. Uns se tornam comerciantes e até banqueiros; outros acabarão conquistando postos administrativos e até altos cargos, como Neemias e Esdras. O rei Joaquin vive no palácio, numa residência vigiada, onde recebe tratamento privilegiado. Nos primeiros anos, muitos ainda acreditavam que Joaquin voltaria a reinar em Jerusalém. O grupo do profeta Ezequiel é instalado junto às margens do rio Cobar (cf. Ez 1,1).

A dispersão é grande e parece que a Babilônia manterá seu império por muito tempo. Tudo leva a crer que não existe mais possibilidade de restaurar novamente o povo de Israel.

A história do Povo de Deus acabou? Não! A história continua...

Ler a história com fé

O Povo de Deus, ao fazer a revisão do motivo da catástrofe que destruiu o país e dispersou a população, chegou à seguinte conclusão: "Por que você está numa terra inimiga, envelhecendo numa terra estrangeira?... É porque você abandonou a fonte da sabedoria! Se você tivesse andado nos caminhos de Deus, teria sempre vivido em paz. Aprenda agora onde está a prudência, a força e a inteligência, para compreender onde está a vida longa, onde está a luz dos olhos e a paz" (Br 3,10-14).

Para refletir

O que ou quem dispersa o povo em nosso país? Apesar de termos um território, nós somos um povo, uma nação que é dona da própria história? O que você acha da expressão: "Deus é brasileiro"?

29. O RETORNO DA ESPERANÇA

O vaivém dos impérios

As grandes potências vão durar para sempre? O poder de suas armas, o controle da comunicação e da economia são tão fortes que parece impossível derrubá-las. Assim era a Babilônia: senhora do Oriente Médio, fascinava por seu esplendor, jardins suspensos, largas avenidas, templos, construções... Nada levava a crer que, 50 anos mais tarde, os babilônios não seriam mais os donos do mundo. Quem passa hoje por suas ruínas pode constatar o que Jeremias e Isaías haviam profetizado: "Suas cidades ficaram desoladas como terra seca e deserta, terra que ninguém habita, que nenhum mortal atravessa" (Jr 51,43). "Nunca mais será habitada; gerações após gerações, ela não será jamais ocupada... Aí se abrigarão os animais do deserto: as casas da cidade estarão povoadas de corujas; aí vão dormir filhotes de avestruz... A hora da Babilônia está chegando, os seus dias não serão prorrogados" (Is 13,20-22). Um grande império opressor não é eterno, mas é substituído por outro. Nesse vaivém dos impérios, os povos oprimidos podem ter esperança? Como?

A chegada dos persas

Tudo começou com um general chamado Ciro. Ele conseguiu reunir sob seu comando os medos e os persas (cf. mapa). Além do forte exército, ele era considerado pacificador e respeitador das tradições dos povos. Entrou na Babilônia praticamente sem encontrar nenhuma resistência e aclamado pelo povo, que o considerava libertador. Todo o império babilônico passa para as suas mãos, inclusive a Palestina. Como é que os israelitas enxergaram essa virada?

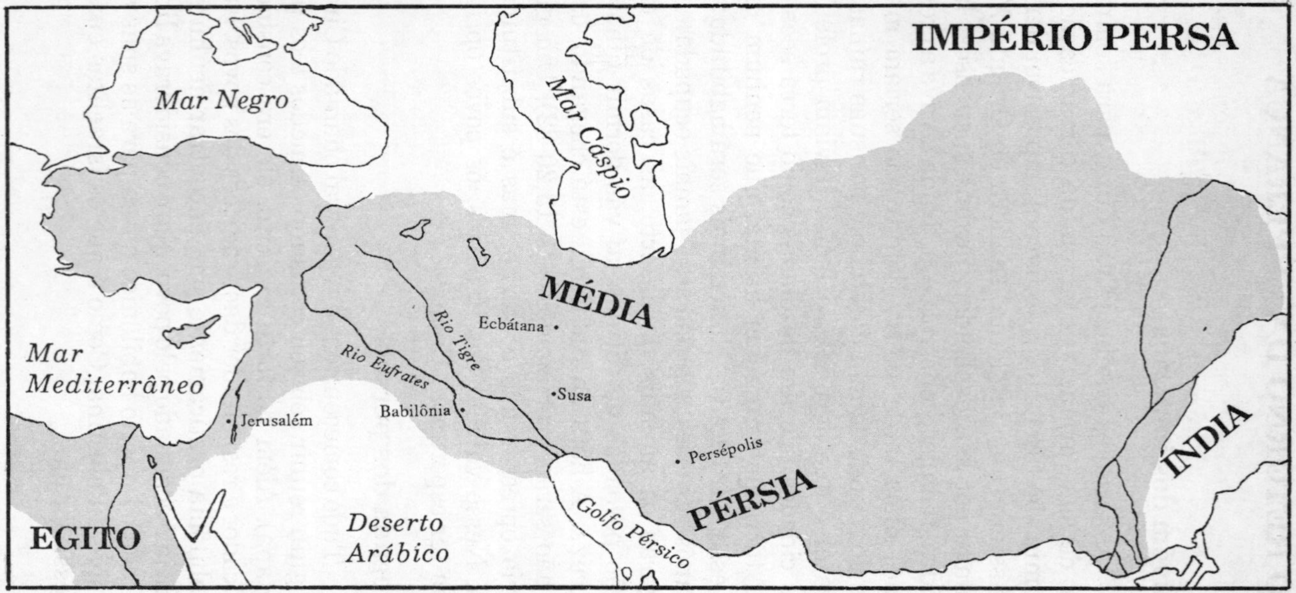
IMPÉRIO PERSA
Mar Negro
Mar Cáspio
MÉDIA
Ecbátana
Rio Tigre
Rio Eufrates
Mar
Mediterrâneo
Susa
Babilônia
Jerusalém
Persépolis
PÉRSIA
ÍNDIA
Golfo Pérsico
Deserto
Arábico
EGITO

Sinais de esperança

Diferentemente dos assírios e babilônios, Ciro não obriga os povos dominados a seguir a religião do dominador, mas concede que cada povo adore seu próprio Deus e mantenha suas tradições. Ele mesmo se coloca como patrono dessas religiões. Outra coisa: ele permite que os exilados retornem à sua antiga pátria para aí reconstruir a comunidade segundo seus próprios costumes. Abre-se um espaço cultural para que cada povo preserve a *própria identidade*. A euforia toma conta de muitos israelitas exilados. Um profeta desconhecido dessa época vê a possibilidade de um novo êxodo, e considera Ciro como um libertador abençoado por Deus. Seus escritos estão em Is 40-55 e, por isso, é comumente chamado de *Segundo-Isaías*, Dêutero-Isaías ou Isaías Júnior.

De fato, em 538 a.C., através de uma circular expedida pelo rei, os israelitas que estão no exílio recebem licença de retornar para sua terra e levar consigo os objetos sagrados que Nabucodonosor havia tomado.

Organizando a volta

Temos que lembrar que muitos anos se passaram desde a ruína de Jerusalém até o fim do exílio na Babilônia. Os israelitas que aí vivem praticamente são de outra geração. Muitos já tinham feito sua vida no local onde estavam e não se interessaram em deixar seus negócios, a fim de começar tudo de novo. No início, foi muito difícil organizar caravanas para ir até o antigo reino de Judá.

O primeiro a tomar a iniciativa foi *Sassabassar*, em 537 a.C., que procurou retomar o culto em Jerusalém, lançando os alicerces para a reconstrução do Templo. Não sabemos bem de onde ele recebeu dinheiro para realizar o trabalho, se do próprio tesouro real ou de contribuições voluntárias. O certo é que ele desaparece como havia surgido.

Outra caravana importante só será organizada anos mais tarde por *Zorobabel*, em 520 a.C., quando Dario era o rei da Pérsia. Foi nessa época que o novo Templo foi inaugurado, com o estímulo dos profetas *Ageu* e *Zacarias*.

Bem mais tarde, o sacerdote *Esdras* e o leigo *Neemias* serão batalhadores incansáveis na organização da comunidade judaica. Também eles viviam em condições privilegiadas na Pérsia e, com apoio do rei, conseguiram muitas regalias para o pessoal da Judéia.

Apesar de tanta luta, parece que as coisas não saíram tão bem como se previa. É o que podemos constatar lendo o profeta *Malaquias*. O que foi que entravou o desenvolvimento da comunidade? O sonho de Isaías Júnior ficou sendo apenas um sonho?

Ler a história com fé

O povo de Deus sofredor viu em ruínas todos os seus sonhos e ideais. Bastou, porém, um fato histórico novo para que ele soubesse ler na sua vida a presença do seu Deus que nunca o abandona: "Suba a um monte alto, mensageira de Sião: levante bem alto a sua voz, mensageira de Jerusalém. Levante-a, não tenha medo. Diga às cidades de Judá: 'Aqui está o Deus de vocês'. Vejam: o Senhor Javé chega com poder, e com seu braço ele detém o governo... Como um pastor, ele cuida do rebanho, e com seu braço o reúne; leva os cordeirinhos no colo e guia mansamente as ovelhas que amamentam" (Is 40,9-11).

Para refletir

Quais os sinais que encontramos para esperar que a situação dos desesperados, empobrecidos e marginalizados possa mudar? Há algum fato histórico recente que possa dar esperança ao nosso povo?

30. VÁRIAS MANEIRAS DE ESPERAR E AGIR

A nova situação

A comunidade judaica reunida em torno de Jerusalém depois do exílio teve que enfrentar muitas dificuldades para sobreviver e se organizar. Os conflitos podem ser percebidos em três instâncias: com o poder central persa, com a província da Samaria, à qual os judeus pertenciam, e os conflitos surgidos dentro da própria comunidade.

1. *Conflito com o poder central persa* — Os assírios e babilônios viam na religião e tradições dos povos dominados um fator ideológico aglutinador das revoltas e instabilidade e, por isso, procuravam destruir ou pelo menos diluir esses elementos religiosos. Além disso, procuravam desarticular totalmente a organização política dos dominados através do exílio da classe dirigente.

Os persas agem de maneira diferente: conservam e incentivam a religião, tradições e organização dos povos dominados. Por outro lado, exercem uma vigilância severa para que, como dizemos hoje, não se misture religião com política. Por isso dão preferência aos povos que têm uma tradição religiosa forte e que são regidos por sacerdotes. Reservam, então, para eles uma área própria de poder interno na comunidade, que jamais pode reverter em tentativa de independência política e econômica. Parece que os judeus que estavam na Palestina procuraram evitar confrontos ou rebeliões contra o governo persa. Se houve alguma tentativa, foi rapidamente abafada. É sintomático o desaparecimento sem rastros de Sassabassar e Zorobabel, descendentes de Davi e, portanto, sucessores desse rei. Até os judeus que viviam fora da Judéia encontraram-se muitas vezes em situações delicadas em relação ao império (cf. o livro de *Ester*).

2. *Conflito com o governo da Samaria* — O governador instalado na Samaria era a mão estendida do rei para preservar o controle sobre a região. Juntamente com um grupo de comerciantes ricos e influentes, o governador acusava constantemente a comunidade de Jerusalém de ultrapassar seus direitos dentro do império. Essa atitude policiesca tinha interesses e compensações. Os interesses eram de ordem econômica: evitar uma concorrência no território que pudesse impedir a exploração do comércio e da intermediação dos tributos da região (cf. Ne 6 e Esd 13,4-9). Nessa instância não havia, porém, nenhum projeto social, a não ser a *exploração interesseira dentro da submissão política ao império*.

3. *Conflito dentro da comunidade* — Com a chegada dos exilados, há motivos de esperança, mas as coisas se complicam. O território não era desabitado: muita gente morava aí, a *maioria camponesa*, vivendo talvez em situações precárias. Proprietários rurais empobrecidos ("povo da terra") que, em épocas passadas exerceram uma função político-religiosa importante. Eles também querem agora participar dos destinos da nova comunidade, mas estão desestruturados.

Outro grupo que deseja participar são os *levitas* que desde épocas antigas exerceram a função de manter vivo o ideal do projeto de Javé: a construção de uma sociedade igualitária e fraterna. Foi do ambiente criado por eles que surgiram os profetas anteriores ao exílio.

Os que chegaram do exílio, liderados por sacerdotes, têm a preocupação de manter as diretivas do rei, do qual recebem polpudos auxílios, e se dedicam à construção do Templo e à manutenção do culto.

Esses três grupos têm visões diferentes e, embora

todos procurem caminhos para manter sua identidade de povo, entram em conflitos.

Os sacerdotes tentam preservar essa identidade de maneira drástica: observância fiel das tradições religiosas, culto e pureza da raça. Atacam violentamente os casamentos com estrangeiros e provocam separações amargas e dolorosas (cf. Esd 9-10). Na Bíblia, a visão sacerdotal pode ser notada no Pentateuco, principalmente em Ex 25-31; 35-40 e no livro do *Levítico*.

Os levitas buscam espaço no poder em Jerusalém e, ao mesmo tempo, não deixam que os ideais proféticos desapareçam da tradição. Por isso fazem aliança com os sacerdotes. Os dois livros das *Crônicas* são a marca principal deles que encontramos na Bíblia.

Os camponeses empobrecidos exigem formas melhores de vida, dentro do ideal de justiça e fraternidade (cf. Ne 5). O pensamento deles pode ser encontrado no livro de *Rute* e em muitos trechos do livro de *Is 56-66*, que pertencem a essa época. Javé, para eles, é o Deus que está intimamente ligado à justiça e à misericórdia, não só entre os judeus, mas entre todos os povos.

Ler a história com fé

Transcrevemos aqui um trecho da Bíblia que conserva a fé dos camponeses empobrecidos que viviam na Judéia depois do exílio:

> Grite a plenos pulmões, sem parar: solte como trombeta o som da sua voz; mostre ao meu povo os seus crimes e faça a casa de Jacó conhecer os seus pecados. Dia após dia, eles parecem me procurar, mostram desejo de conhecer os meus caminhos; parecem povo que pratica a justiça e que nunca se esquece do direito do seu Deus. Eles vêm me pedir as regras da justiça, eles querem estar perto de Deus. E dizem: "Por que jejuamos, e tu não viste? Por que nos humilhamos totalmente, e nem tomaste conhecimen-

to?" Acontece que, mesmo quando estão jejuando, vocês só cuidam dos próprios interesses e continuam explorando quem trabalha para vocês. Vejam! Vocês jejuam entre rixas e discussões, dando socos sem piedade. Não é jejuando dessa forma que farão chegar lá em cima a voz de vocês. Vejam! O jejum que eu aprecio, o dia em que uma pessoa procura se humilhar, não deve ser desta maneira: curvar a cabeça como se fosse uma vara, deitar de luto na cinza... É isso que vocês chamam de jejum, um dia para agradar a Javé?
O jejum que eu quero é este: acabar com as prisões injustas, desfazer as correntes do jugo, pôr em liberdade os oprimidos e despedaçar qualquer jugo; repartir a comida com quem passa fome, hospedar em sua casa os pobres sem abrigo, vestir aquele que se encontra nu, e não se fechar à sua própria gente. Se você fizer isso, a sua luz brilhará como a aurora, suas feridas vão sarar rapidamente, a justiça que você pratica irá à sua frente e a glória de Javé virá acompanhando você. Então você clamará, e Javé responderá; você chamará por socorro, e Javé responderá: "Estou aqui!" Isso se você tirar do seu meio o jugo, o gesto que ameaça e a linguagem injuriosa; se você der o seu pão ao faminto e matar a fome do oprimido. Então a sua luz brilhará nas trevas e a escuridão será para você como a claridade do meio-dia; Javé será sempre o seu guia e lhe dará fartura até mesmo em terra deserta; ele fortificará seus ossos e você será como jardim irrigado, qual mina borbulhante, onde nunca falta água; as suas ruínas antigas serão reconstruídas, você levantará paredes em cima dos alicerces de tempos passados. Vão chamá-lo reparador de brechas e restaurador de ruínas, onde se possa morar (Is 58,1-12).

Para refletir

O que se pretende hoje em dia, quando se diz que não se deve misturar religião com política? Façam um retrato dos vários grupos importantes do nosso país e procurem ver o que cada um deles pretende. A qual grupo pertencemos, e qual grupo defendemos?

31. MIL ANOS DE HISTÓRIA

Já percorremos quase mil anos da história do povo de Deus. Antes de continuar, vamos relembrar o caminho feito, para não nos perdermos nele. Notemos como o povo de Deus não caiu do céu, nem viveu num mundo à parte, onde tudo era bonito e sem conflitos. Foi dentro do vaivém da história humana, entre vitórias e fracassos, que nossos irmãos na fé procuraram sempre preservar suas raízes implantadas nos primeiros tempos de sua existência: a sociedade onde exista partilha e liberdade.

I. Antes de ser povo

Cf. pp. 10-13	***Época***: 1350-1250 a.C. ***Regime***: famílias e clãs que vão se reunindo aos poucos (camponeses, migrantes, pastores) ***Sistema*** de troca ***Religião***: Deus dos pais (de Abraão, Isaac, Jacó) Culto nas famílias *Conflito com as cidades*	**Livros da Bíblia** Gênesis

II. Confederação das Tribos de Israel

Cf. pp. 18-27	***Época***: 1250-1050 a.C. ***Regime***: tribal ***Sistema***: igualitário e participativo ***Religião***: adoração exclusiva a Javé, que é identificado como o Deus dos pais e o Deus dos hebreus; culto nas famílias e tribos; santuários *Conflito com o império egípcio, cidades-Estado e filisteus* ***Situação do povo***: cultura simples e partilha de bens	Êxodo, Números, Josué e Juízes

III. Reino unido

Cf. pp. 28-61	***Época***:1040-931 a.C. ***Regime***: monarquia. Reis: Saul, Davi, Salomão ***Sistema***: tributário ***Religião***: adoração a Javé. Culto cada vez mais sofisticado em Jerusalém. Com Salomão: construção do Templo, introdução de outras divindades *Conflitos mais internos do que com inimigos externos* ***Situação do povo***: cada vez mais explorado e empobrecido, ao lado do luxo e cultura florescente da classe privilegiada	1º e 2º Samuel; 1º Reis, capítulos 1 a 11

IV. Reino dividido

1. Reino de Israel (Norte)

Cf. pp. 62-86	***Época***: 931-722 a.C. ***Regime***: monarquia não dinástica. Contínuos golpes de Estado ***Sistema***: tributário ***Capital***: Samaria ***Principais reis***: Jeroboão, Amri, Acab, Jeú, Jeroboão II, Facéia ***Religião***: adoração a Javé; culto nos santuários de Betel e Dã. Introdução oficial do culto ao deus Baal, contra o qual lutaram Elias e Eliseu *Conflitos com a Fenícia, Aram, Judá e principalmente contra a Assíria, que se torna grande potência. Tentativa de alianças* ***Situação do povo***: cada vez mais empobrecido e confuso ***Fim do reino***: conquistado pela Assíria, se torna colônia	1º Reis, capítulos 12 a 22; 2º Reis; Amós; Oséias; Deuteronômio

2. Reino de Judá (Sul)

Cf. pp. 87-96	***Época***: 931-586 a.C. ***Regime***: monarquia dinástica (descendentes de Davi) ***Sistema***: tributário ***Capital***: Jerusalém ***Principais reis***: Josafá, Ezequias, Josias	1º Reis, capítulos 12 a 22; 2º Reis; Sofonias, Naum;

	Religião: adoração a Javé, com freqüentes idolatrias. Culto centralizado em Jerusalém *Conflitos com os povos vizinhos. Principais inimigos: Assíria e Babilônia. Tentativas de alianças* ***Situação do povo***: fora o período das grandes reformas, desiludido e cada vez mais empobrecido. Exploração dos grandes latifundiários ***Fim do Reino***: conquistado pela Babilônia, se torna colônia	Isaías 1 a 39; Miquéias; Jeremias; Habacuc
	IV. Exílio na Babilônia	
Cf. pp. 100-106	***Época***: 586-538 a.C. **1. Situação em Judá** ***Regime***: colônia babilônica ***Sistema***: tributário ***Religião***: a adoração a Javé é preservada em círculos camponeses; não há mais culto centralizado ***Situação do povo***: vive em condições precárias e disperso **2. Situação dos exilados** Vivem em melhores condições dos que ficaram, mas estão longe da pátria ***Religião***: adoração a Javé em meio pagão. Preservam tradições. Esperança de retorno. Sinagogas Outros escaparam para regiões diferentes, principalmente para o Egito	Ezequiel; Lamentações; Levítico; Isaías, capítulos 40 a 55; Abdias
	V. Na Judéia	
Cf. pp. 107-110	***Época***: 538-333 a.C. ***Regime***: província persa ***Sistema***: tributário ***Religião***: retomada do culto a Javé em Jerusalém. Liderança dos sacerdotes ***Situação do povo***: conflito entre os que retornam do exílio e os que aí permaneceram. Conflito com o governo de Samaria. Tentativa de organização da comunidade a partir de Jerusalém. Luta pela sobrevivência	Esdras; Neemias; Ageu; Zacarias; Isaías, capítulos 56 a 66

Os livros da Bíblia, citados em cada período, tratam de assuntos referentes ao período. Isso, porém, não significa que eles foram escritos nessa mesma época. Muitas vezes são reflexões posteriores, para retomar a caminhada e explicar a situação em que os autores viviam.

Para refletir

Quantos anos temos de história do Brasil? Vocês são capazes de lembrar algum período em que o país viveu dentro da partilha e liberdade? E a nossa Igreja, quantos anos tem de história? Vocês se recordam de algum tempo ou de alguma comunidade onde se procurou viver o ideal do projeto de Deus? Dentro do nosso país e da Igreja, houve mais opressão e diferenças sociais, ou houve mais partilha, fraternidade e liberdade?

32. RESPIRANDO AR ESTRANGEIRO

Um rapaz chamado Alexandre

Filho do rei Filipe da Macedônia, com 21 anos, Alexandre já é o chefe de um exército que, sob sua liderança, está disposto a enfrentar os senhores de todo o Oriente Médio: os persas. Missão impossível? Em doze anos, Alexandre realiza muito mais do que alguém podia imaginar: com 33 anos, ele é dono não só do império persa, mas de um mundo muito maior, que chega até a Índia. A Judéia é agora apenas um pedacinho de terra perdido dentro do grande império de Alexandre.

A divisão do império de Alexandre

Quando Alexandre Magno morre em 323 a.C., seu império é dividido entre os seus generais. A Palestina e a Judéia ficarão sob o domínio desses generais e de seus descendentes por um período de cento e cinqüenta e cinco anos. Durante cem anos, os judeus da Palestina estarão dentro do reino dos Ptolomeus, cuja capital será Mênfis, no Egito. Depois do ano 200 a.C., a Palestina pertencerá ao reino dos Selêucidas (descendentes do general Seleuco). Qual era a situação dos judeus nesse século e meio de dominação grega? Vamos dividir em três partes: a primeira vai até a subida de Antíoco IV Epífanes ao trono (175 a.C.); na segunda veremos como os Macabeus iniciaram a resistência contra esse rei; na terceira, veremos como os judeus conseguiram recuperar a Palestina e se tornaram independentes do domínio grego.

Falando uma nova língua

Antes de tudo, precisamos relembrar que os judeus não viviam só na Palestina. Muitos estavam espa-

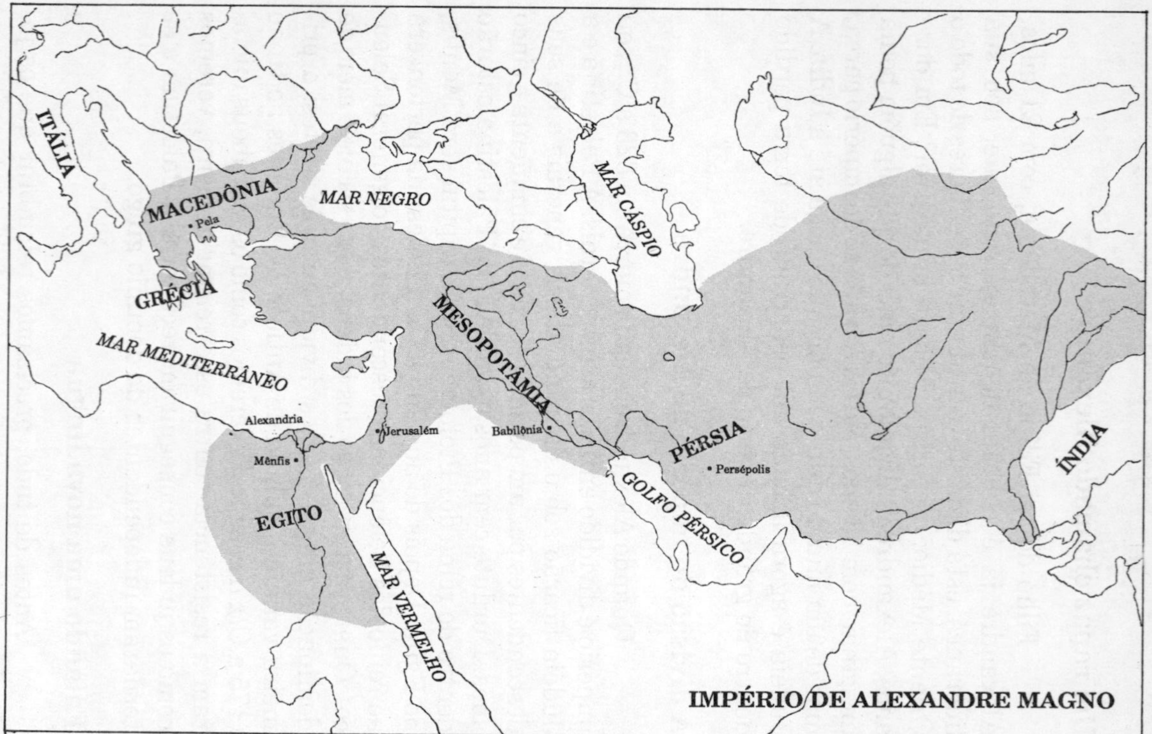
ITÁLIA
MACEDÔNIA
Pela
GRÉCIA
MAR NEGRO
MAR CÁSPIO
MAR MEDITERRÂNEO
MESOPOTÂMIA
Alexandria
Jerusalém
Babilônia
Mênfis
EGITO
PÉRSIA
Persépolis
GOLFO PÉRSICO
ÍNDIA
MAR VERMELHO
IMPÉRIO DE ALEXANDRE MAGNO

lhados pelo mundo e principalmente no Egito. A língua grega foi se impondo cada vez mais, de tal modo que muita gente não conseguia ler nem mesmo seus Livros Sagrados, escritos em hebraico. Nasceu então a idéia de traduzir a Sagrada Escritura para o grego. Segundo uma lenda, setenta sábios se reuniram para fazer essa tradução na cidade de Alexandria, sob o patrocínio do rei Ptolomeu II. Alexandria era uma cidade do Egito, fundada e construída por Alexandre; aí habitava numerosa comunidade judaica. É a tradução que nós hoje chamamos de *tradução dos Setenta*. Ela contém alguns livros que não constam na Bíblia Hebraica, aceitos pelos católicos como livros inspirados, mas rejeitados pelos protestantes.

Seguindo a moda

A nova cultura grega se impunha não só através da divulgação cada vez maior da língua grega, pois os costumes também começaram a mudar. Quem não usava roupa de feitio grego, quem não participava dos jogos no estádio grego, quem não tinha nome grego, era considerado fora de moda, atrasado, retrógrado. Para ser "moderno" se deveria participar de forma intensa da civilização grega, pois era a mais "avançada".

O que está por trás disso?

Tudo parece muito bonito e inocente, mas por trás da divulgação de sua língua e costumes, os gregos minavam as tradições antigas dos povos dominados e mantinham a hegemonia política e econômica. Isso trazia graves conseqüências, inclusive para a religião. Vamos dar apenas dois exemplos. O pai achava bonito e moderno pôr o nome de Apolo no filho que nasceu. Qual o problema? Acontece que Apolo era também o nome de um deus grego! Que mal há em assistir às corridas no estádio? Acontece que, antes dos jogos, eram realizadas cerimônias obrigatórias aos deuses gregos. Ali no estádio havia também instruções e biblioteca para se conhecer melhor a cultura, a língua e a religião dos gregos. Um caso engraçado, mas de sérias conseqüências: o judeu que queria participar das corridas. Para não ser caçoado, ele fazia operação cirúrgica a fim de esconder sua circuncisão, pois os atletas corriam nus. Ele se envergonhava do sinal visível de sua pertença ao povo de Deus e da fidelidade ao seu Deus! Portanto, em nome do progresso, da "modernidade", a cultura, tradições e religião do povo de Deus estavam sendo seriamente atingidas e corroídas nas bases.

Os colaboracionistas

Como sabemos, desde a época persa a comunidade judaica na Palestina estava organizada a partir da liderança dos sacerdotes, tendo como chefe supremo o sumo sacerdote. Os gregos procuraram influenciar e ter a seu lado a cúpula judaica. Como o fizeram? Por incrível que pareça, o meio mais usado foi a corrupção e o suborno. Sumos sacerdotes se dispunham a aceitar tratados injustos, desde que pudessem se manter no cargo e receber polpudas quantias.

Os gregos tinham outra forma bem atraente para reforçar sua cultura: a cidade que aderisse aos costumes gregos com mais facilidade era considerada cidade merecedora de tratamento especial, ganhando regalias, inclusive econômicas (ficar livre de uma parte do tributo). Até a cidade de Jerusalém chegou a receber o título de cidade especial. Foi chamada de "cidade antioquena", isto é, modelo de cultura grega, como a cidade de Antioquia, onde morava o rei selêucida.

A essa altura, poderíamos perguntar: "Ninguém reagiu?" Sem dúvida. É o que veremos a seguir.

O QUE É XENOFOBIA?

É uma palavra grega que significa *medo* (fobia) de qualquer coisa *estrangeira* (xeno). Palavra usada com freqüência nos jornais para rebater os nacionalistas que não aceitam colaboração de estrangeiros no desenvolvimento do país. É claro que não podemos viver isolados no mundo e temos muito que aprender com outros povos. Mas é preciso estar atentos e ter espírito crítico para saber se, de fato, se trata de colaboração ou dominação.

Ler a história com fé

Trecho do Eclesiástico, que foi escrito nessa época: "Considerem as gerações passadas e vejam: quem confiou no Senhor e ficou desiludido? Ou quem perseverou no seu temor e foi abandonado? ...Ai dos corações covardes e das mãos fracas e do pecador que segue dois caminhos. Ai do coração fraco, pois não acredita, por isso não será protegido" (Eclo 2,10-13).

Para refletir

Por que em nossas rádios ouvimos quase só músicas cantadas em inglês? Por que muitas camisas que os jovens usam têm alguma frase escrita em inglês? Por que os noticiários da televisão dão mais espaço às notícias que acontecem nos Estados Unidos? Por que existem cursos de inglês cada vez mais numerosos? "O que é bom para os Estados Unidos é bom para o Brasil"?

33. RESISTÊNCIA E REVOLTA

Com a subida de Antíoco III ao trono, o domínio dos gregos no Oriente Médio atingiu seu auge e, ao mesmo tempo, iniciou a sua decadência. Pretendendo estender seu território até a Europa, Antíoco III encontrou forte oposição dos romanos. Ele foi obrigado a se submeter a uma paz humilhante, cedendo parte de seus territórios, pagando enormes indenizações e entregando seu próprio filho como refém. Para pagar as dívidas, tentou saquear um templo, mas foi linchado pelo povo. Seleuco IV, seu sucessor, continuou a tarefa de cobrir os rombos dos cofres reais. Por isso, tentou assaltar o Templo de Jerusalém. Quando Antíoco IV Epífanes assumiu o poder, iniciou uma política diferente em relação aos povos dominados, política que teve grande repercussão entre os judeus.

A situação em Jerusalém

Se o reino grego dos selêucidas estava criando questões religiosas por causa de dinheiro, em Jerusalém não era diferente. A tradicional família dos Tobíadas, desde a época dos persas, foi se enriquecendo com o comércio, graças à colaboração que prestava ao dominador de turno. Parte do dinheiro dessa família estava guardado no Templo de Jerusalém, juntamente com o dinheiro reservado aos pobres. Nesse tempo, o Templo já funcionava como banco! Onias III, sumo sacerdote e homem justo, entrou em conflito com a família dos Tobíadas e, por isso, foi acusado junto ao rei. Teve que ir até Antioquia responder a processo. Nunca mais voltou e, anos mais tarde, foi assassinado na prisão. Então acelerou-se, entre Jasão e Menelau, uma disputa encarniçada pelo cargo de sumo sacerdote. Notem que os dois têm nome grego!

Jasão ofereceu ao rei Antíoco IV uma grande soma em dinheiro e promessa de total colaboração. O rei, é claro, concordou em apoiá-lo. Assim, Jasão se apoderou do cargo de sumo sacerdote e iniciou uma política ativa dentro do desejo dos gregos. Foi nessa época que se construiu um estádio em Jerusalém e a cidade foi considerada privilegiada. Prometendo mais dinheiro ao rei, Menelau conseguiu expulsar Jasão e tomar seu lugar. Como não tinha dinheiro para pagar o prometido, chegou a roubar objetos do Templo e vendê-los. Com a sua cumplicidade, Antíoco invadiu e saqueou o Templo de Jerusalém.

Começa a resistência

Grupos de judeus tradicionais começam a fazer oposição tanto à política de Antíoco como à corrupção existente em Jerusalém. O rei, então, toma medidas drásticas: envia para lá parte do exército, constrói uma fortaleza, que se torna uma verdadeira cidade de gregos, considera o Templo como possessão do rei e estabelece o culto a Zeus, divindade grega. Vai mais além: proíbe a prática do judaísmo, os sacrifícios para Javé, a prática do sábado, as festas tradicionais, exige que os livros sagrados sejam destruídos, e obriga a comer carne de porco, que era proibida. Qualquer desobediência desses decretos seria punida com a morte.

O estopim da revolta

Se o rei Antíoco IV imaginava quebrar a espinha do povo de Deus com tais medidas, ele estava muito enganado, pois elas só serviram para reforçar a oposição e resistência. O estopim se acendeu numa cidadezinha do interior chamada Modin. O representante do rei aí estava, exigindo que os camponeses prestassem culto a um deus grego. Muitos, por medo, obedeciam. Um sacerdote chamado Matatias, ao ver um judeu adorando o ídolo, se enfureceu e matou o judeu e o representante do rei. Imediatamente fugiu para as montanhas com sua família. Ele tinha três filhos: Simão, Judas e Jônatas. Em pouco tempo, um bom grupo de corajosos se reuniu a essa família. Com a morte de Matatias, seu filho Judas assumiu a liderança. O apelido dele era Macabeu, que significa *martelo*. Alguns dizem que era por causa do formato alongado de sua cabeça; outros afirmam que tal apelido lhe foi dado porque ele foi um martelo contra o dominador. Logo esse apelido se estendeu a seus irmãos e, por isso, essa luta liderada por eles recebeu junto ao povo de Deus o nome de *revolta dos Macabeus*. Iniciava assim uma resistência que iria durar por mais de vinte anos. Essa resistência é relatada na Bíblia em 1 e 2Mc.

O QUE É APOCALÍPTICA?

No Antigo Testamento existe o livro de Daniel, que é apocalíptico. Foi escrito justamente nessa época em que começa a revolta dos Macabeus. Seu autor é um dos que aderiram à revolta. Ele procurou, a seu modo, incentivar seus compatriotas a resistir, aderindo aos costumes próprios e à religião de Javé, na certeza de que Deus interviria para salvá-los. Portanto, apocalíptica é uma literatura que nasce em tempo de perseguição. Ela quer provocar resistência, coragem e esperança. Não fala do fim do mundo, mas da última etapa da história, quando a "mão forte" de Deus estará presente, ao lado dos oprimidos, para levá-los infalivelmente à vitória contra os opressores. A mensagem é transmitida através de símbolos e visões. É uma espécie de literatura subversiva que, através da fé, anima os oprimidos a enfrentar o opressor, na certeza de que Deus está do lado de quem luta pela liberdade.

Um livro do Novo Testamento também pertence a esse tipo de literatura: o Apocalipse de São João, que foi escrito durante a perseguição que os cristãos sofreram por parte do império romano.

Ler a história com fé

É durante a perseguição sofrida por parte de Antíoco IV que surge com clareza, no meio do povo de Deus, a fé na ressurreição. 2Mc 7 conta a história de uma mãe que foi torturada até a morte com os seus sete filhos. O quarto filho, quando estava sendo torturado, quase morrendo, desfigurado, disse ao rei: "É preferível passar para a outra vida pelas mãos dos homens, tendo da parte de Deus a esperança de ser um dia ressuscitado por ele. Mas para você, ó rei, não haverá ressurreição para a vida!"

Para refletir

A história dos povos do Terceiro Mundo (África, Ásia, América Latina) sempre foi uma história de povos oprimidos. Os exemplos de resistência e coragem são muitos. Você conhece algum povo da América Latina que soube enfrentar o opressor? Existem, na História do Brasil, exemplos dessa resistência e coragem? Hoje, em nosso país, há grupos que lutam com consciência, mesmo à custa de sacrifícios? O que vocês entendem por *martírio*? Saberiam citar exemplos de mártires da América Latina e do Brasil de nossos dias? A coragem desses nossos irmãos e irmãs nos levam a lutar pela justiça?

34. DA GUERRILHA AO PODER

O sábado foi feito para o homem

O início da luta contra as tropas militares do rei foi muito difícil. Bastava que os revoltosos saíssem de seus esconderijos para que fossem atacados sem piedade. Aconteceu um caso doloroso num dia de sábado. Como sabemos, o sábado é dia sagrado para os judeus. Durante esse dia eles suspendem todo tipo de atividade. Uma tropa os atacou no sábado, e eles "não revidaram, não arremessaram uma pedra sequer, nem mesmo cuidaram de obstruir seus esconderijos... E pereceram muitos deles, suas mulheres, seus filhos e seu gado, ao todo cerca de mil pessoas" (cf. 1Mc 2,29-38). Ao saber disso, Matatias e seus companheiros tomaram uma decisão: enfrentar os soldados mesmo em dia de sábado, pois disseram: "Se todos fizermos como esses nossos irmãos, se não lutarmos contra os pagãos por nossa vida e nossas tradições, em breve eles nos exterminarão". Assim, em defesa das próprias tradições, eles decidiram violar uma de suas tradições mais sagradas. Jesus vai mais tarde confirmar esse tipo de atitude ao dizer que "o sábado foi feito para servir ao homem, e não o homem para servir ao sábado" (Mc 2,27).

Por amor à justiça

Muitos dos que amavam a justiça e o direito desceram ao deserto para se unir aos Macabeus, inclusive os *assideus* (= piedosos), que sempre foram contra a introdução da cultura grega no meio do seu povo. Eles acabaram se tornando a tropa de choque dos revoltosos.

Com a morte de Matatias, Judas assumiu a liderança. Ele percebeu que lutar em campo aberto seria suicídio. Então adotou a tática que hoje chamamos de guerrilhas. Conhecedores do terreno e apoiados pelos camponeses, Judas e seus companheiros atacavam as tropas em lugares inesperados, e fugiam rapidamente para seus esconderijos. Assim iam minando pouco a pouco a força do exército inimigo.

Diante do rápido crescimento da revolta, o general Lísias resolveu tomar providências, reforçando o contingente militar na Judéia. Recebeu o apoio de mercadores judeus, pois a ação dos Macabeus estava prejudicando seriamente a economia. Os rebeldes, de fato, impediam a circulação das mercadorias, vigiando as rotas comerciais e pondo em sobressalto as caravanas. A iniciativa de Lísias foi por água abaixo quando Judas e seus companheiros derrotaram o exército grego em Emaús. Vendo que não conseguia esmagar a revolta, mas, ao contrário, esta se avolumava cada vez mais, decidiu empregar todas as suas forças na luta contra Judas. Entretanto, este obtinha vitória sobre vitória, e seus seguidores aumentavam cada vez mais. Judas conseguiu entrar em Jerusalém e purificar o Templo.

Nessa época morreu o rei Antíoco IV, preocupado e irritado com o sucesso contínuo do processo revolucionário. Em seu lugar reinou Antíoco V.

Primeiros frutos da luta

Vendo a tenacidade dos rebeldes, o rei Antíoco V resolve negociar: "Estendamos a mão direita para essa gente, fazendo as pazes com eles e com toda a sua nação. Vamos reconhecer-lhes o direito de viver segundo suas leis, como antes, já que é por causa dessas leis, que nós quisemos abolir, que eles se irritaram e fizeram tudo isso". Mas as promessas de opressor não têm validade. Terminada a pressão, ele se torna ainda mais ameaçador. Quando os revoltosos aceitaram a paz, Antíoco V os atacou de novo e ameaçou invadir o Templo.

Aliança perigosa

Preocupado com os novos avanços do exército grego, Judas resolve pedir ajuda aos romanos. Estes imediatamente se dispõem a colaborar. Essa colaboração, porém, nunca foi concreta, mas apenas "moral". Mais uma vez, os oprimidos caem na tentação de esperar alguma coisa das grandes potências. Com o pedido de auxílio feito por Judas, os romanos encontraram uma excelente oportunidade para se intrometer na política da região. Assim, um movimento revolucionário corajoso e independente começa a servir de "testa de ferro" para sutentar a cobiça dos poderosos! Mais tarde, quando os romanos decidem se apoderar do território, se verá que essa "amizade" não passava de uma arapuca.

Jogo duplo

Judas morreu numa batalha, enfrentando ousadamente um grande exército. Seu irmão Jônatas o substituiu na liderança. Aproveitou a contínua luta pelo poder que existia entre os pretendentes ao trono no reino grego no Oriente. Ora fazendo aliança com um, ora ajudando militarmente o outro, Jônatas foi conseguindo os direitos que tinham sido arrebatados do seu povo: dispensa de tributos, liberdade religiosa, permissão para observar as próprias tradições. Ao mesmo tempo, procurou manter a aliança com os romanos. O seu interesse já não era apenas conseguir a liberdade religiosa, mas dominar a região e conseguir a independência política do seu país. Com sua diplomacia e esperteza, Jônatas foi cada vez mais ganhando terreno. Entretanto, criou uma situação difícil para si junto a seus compatriotas: quando assumiu a função de sumo sacerdote, muitos dos que lutaram a seu lado ficaram decepcionados e se afastaram do movimento. Internamente começaram a surgir divisões que vão perdurar por muito tempo. Traído pelos próprios gregos com os quais se havia aliado, Jônatas cai numa emboscada e é assassinado.

Com o poder nas mãos

Simão, o irmão mais velho dos Macabeus, continuou a política de Jônatas, apoiando-se na cooperação tácita dos romanos. Com a decadência do poder grego na região, ele consegue aumentar seus territórios e expulsar os soldados gregos que ainda restavam em Jerusalém. Praticamente toda a Palestina estava em suas mãos. A revolta dos Macabeus, iniciada com poucos homens fervorosos e corajosos, agora havia chegado ao seu auge: os judeus não só recuperaram a possibilidade de viver segundo seus costumes e tradições, mas eram donos de um território semelhante ao que possuíam nas épocas áureas de Davi e Salomão. Faltava apenas um rei. Simão estava com o poder. O que fazer com esse poder?

Ler a história com fé

A luta pela justiça, visando participar da construção do projeto de Javé, cria espaço na fé que vai além da morte. 2Mc 12,38-45, narra a crença na ressurreição que surge no meio da luta, concluindo que "uma belíssima recompensa está reservada para os que morrem na fidelidade".

Para refletir

Fazer amizade com pessoas e nações poderosas é útil ou não? Por quê? Você conhece algum movimento, comunidade ou povo que procurou ajuda dos mais poderosos ou ricos? O que aconteceu? É possível transformar a nossa sociedade sem fazer alianças com os donos de televisão, empresas, fazendas? O que isso exigiria dos oprimidos?

35. AS ESPERANÇAS DESMORONAM

O ideal se apaga

A vitoriosa revolta dos Macabeus tinha chegado mais longe do que se pretendia. Simão, o mais velho dos irmãos Macabeus, era agora sumo sacerdote e chefe de toda a Palestina. Havia independência econômica e política, as tradições podiam ser observadas sem restrições... Tudo parecia correr às mil maravilhas: "Cada um podia ficar sentado debaixo de sua vinha e de sua figueira, e não havia quem lhes causasse medo" (1Mc 14,12). Entretanto, a expressão é tão ufanista como a do 1º livro dos Reis, sobre a época de Salomão (cf. 1Rs 5,5). De fato, num dos momentos que deveria ser de grande harmonia e paz, os problemas internos se avolumam, as divisões começam a surgir e o descontentamento é grande no meio do povo. O poderes que os Macabeus se atribuem são contestados, principalmente o cargo de sumo sacerdote. Afinal, os Macabeus não pertenciam à família sacerdotal descendente de Sadoc, condição necessária para se exercer o cargo de sumo sacerdote. Embora a assembléia de anciãos tenha aprovado provisoriamente Simão no cargo, a nomeação não era considerada legítima. A estrutura do poder sacerdotal, que tinha vigorado por séculos, estava ameaçada. Como religião e política sempre estiveram bem unidas, a situação confusa desencadeou interpretações diferentes, provocou rixas e a formação de "partidos": os saduceus, os fariseus e os essênios. (Sobre essas correntes, trataremos mais adiante).

Rei e dinastia, de novo

Intrigas e interesses políticos conduziram Simão a um fim trágico: foi traiçoeiramente assassinado durante um banquete (cf. 1Mc 16,11-24).

Com a morte de Simão, começa a vigorar de novo o regime monárquico dinástico, isto é, um rei fica no trono até a sua morte e depois é substituído pelo filho. Desse modo, João Hircano, filho de Simão, assumiu o poder, iniciando a chamada dinastia dos asmoneus, que reinará até o ano 37 a.C. A Bíblia não nos oferece notícias sobre esse período. As poucas que temos nos são relatadas por um historiador judeu chamado Flávio Josefo. Vamos dar aqui apenas os pontos mais importantes:

• A desintegração do reino grego favoreceu a reconstrução da independência política da Palestina, sob a liderança dos asmoneus. Tal independência, porém, se manteve através de alianças que se tornam cada vez mais comprometedoras.

• A situação interna é muito complexa: para se manter no poder, os asmoneus recorrem ora a um partido, ora a outro, provocando intrigas, rixas, corrupção e guerras fratricidas.

O que significa ASMONEUS?

Deriva de um nome de pessoa: *Asmoneu*. Este seria um suposto antepassado de Matatias, pai dos Macabeus, que pertenceria a uma família sacerdotal descendente de Sadoc. Com isso, pretendeu-se legitimar o sumo sacerdócio exercido pelos Macabeus e seus filhos. Esse artifício levou a chamar de *asmoneus* os descendentes dos Macabeus que estavam no poder. Daí: dinastia dos asmoneus.

Dominação estrangeira, de novo

Desde há muito, os romanos tinham preparado o terreno para ocupar o lugar dos gregos no Oriente. Já vimos como eles se serviram até de alianças com os Macabeus para enfraquecer os gregos. Depois de dominar várias regiões, servindo-se das intrigas dos próprios ju-

5

deus, eles intervieram na Palestina com o pretexto de manter a paz. E, a partir do ano 63 a.C., a Palestina nada mais é do que uma província romana. São os romanos que agora decidem quem deve reinar, e o critério principal é a fidelidade e submissão às ordens de Roma.

É dentro desse jogo de cartas marcadas que a situação se torna ainda mais irônica: no ano 37 a.C. os romanos colocam a coroa na cabeça de um estrangeiro para reinar sobre os judeus: *Herodes*. Ele é um idumeu, isto é, do país da Iduméia, que fica no sul da Palestina, e que fora conquistada pelos Macabeus.

E o povo? Assiste impotente às intrigas pelo poder e à presença humilhante de mais uma potência que chega para dilapidar seus escassos recursos. É nessa época, talvez, que surge um grupo de pessoas dispostas a enfrentar e resistir, até o ano 135 depois de Cristo, a esse tipo de dominação e exploração: são os zelotas. Deles falaremos mais adiante.

É dentro desse quadro que chegamos ao século I, quando nasce uma personagem muito significativa para nós: Jesus de Nazaré.

Ler a história com fé

Dentro desse período quase sem esperança para o povo, lá no Egito alguém consegue enxergar motivos de esperança. É o autor do livro da Sabedoria, que escreve: "Amem a justiça, vocês que governam a terra... porque a justiça é imortal" (cf. Sb 1,1-15).

Para refletir

Quando tudo parece que "não tem mais jeito", em que nos apoiamos para ter esperanças e lutar?

36. A TERRA DE JESUS

Herodes e seus filhos

Quando Jesus nasce, sua pátria faz parte de uma província romana. Por concessão dos romanos, Herodes rege a Palestina, desde a Judéia até a Galiléia. Com a morte de Herodes, no ano 4 a.C., o território da Palestina é dividido entre seus filhos: Arquelau fica com a Iduméia, Judéia e Samaria; Herodes Antipas com a Galiléia e a Peréia; Filipe com a Traconítide. Contudo, os romanos depõem Arquelau, e a região que lhe caberia governar parmanecerá sob os cuidados diretos de um procurador romano.

As regiões da Palestina

Acompanhando o mapa, podemos perceber as seguintes regiões, vindo do sul: Iduméia, Judéia, Samaria, Galiléia, Traconítide. A Decápole e a Siro-Fenícia eram consideradas territórios pagãos. Daremos um pequeno apanhado sobre as três regiões principais: Judéia, Samaria e Galiléia.

1. Judéia

Assim é chamada porque corresponde, em sua grande parte, ao antigo território da tribo de Judá. Depois do exílio na Babilônia, foi nessa região que os israelitas reorganizaram a sua vida e passaram a ser conhecidos como judeus. Sem dúvida, se tornou a principal, pois dentro dela ficava a cidade santa de Jerusalém e o Templo.

2. Samaria

O nome provém da antiga capital do Reino do Norte, destruída pelos assírios em 722 a.C. Os samarita-

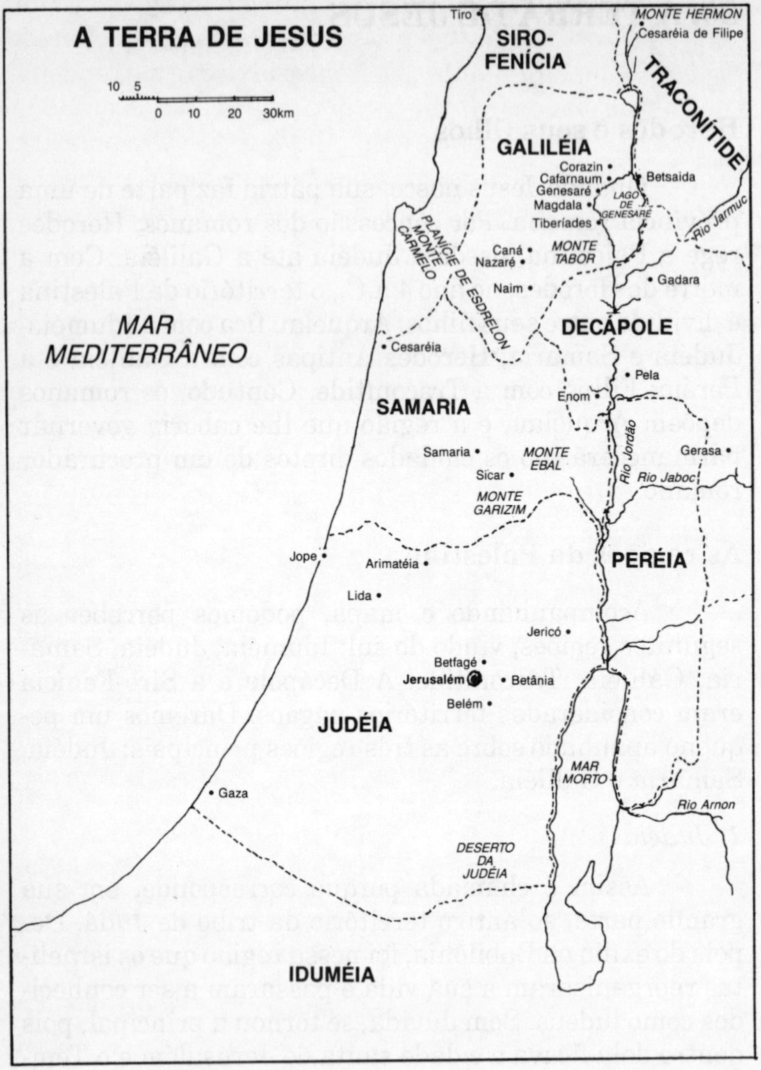

nos que aí habitam não pertencem ao judaísmo propriamente dito. Eles observam escrupulosamente o Pentateuco, mas não aceitam os outros escritos do Antigo Testamento, nem freqüentam o Templo de Jerusalém. Para eles, o único lugar legítimo de culto é o monte Garizim, que fica perto de Siquém. Esperam o messias chamado *Taeb* (= aquele que volta). Esse messias não é descendente de Davi, e sim o novo Moisés, que vai revelar a verdade e colocar tudo em ordem no final dos tempos. Os samaritanos são considerados raça impura pelos judeus, por serem descendentes de população misturada com estrangeiros.

3. Galiléia

O nome significa círculo, distrito. É uma encruzilhada de importantes rotas que se dirigem para várias direções. Com uma população mista, era chamada a "região das nações". No tempo do Novo Testamento, a Galiléia era habitada por gente misturada de muitos povos, tanto assim que os judeus viam com desprezo alguém que morasse ou tivesse nascido nessa região.

Jesus passou na Galiléia a maior parte de sua vida: foi aí que ele morou, exerceu grande parte de sua atividade, onde escolheu os seus apóstolos. Tanto assim que Jesus era considerado como galileu.

37. RELIGIÃO E PODER (I)

Toda dominação sobre o povo necessita de algum aparelho para que possa se justificar. Uma forma é a violência, exercida através da força e das armas. A forma mais inteligente, porém, de dominar é através da manutenção de aparelhos ideológicos, isto é, meios para veicular uma série de idéias e práticas que acabam se impondo como intocáveis e até mesmo sagradas. Por isso, a religião é muitas vezes usada para justificar uma ordem estabelecida que não pode ser quebrada, sob pena de condenação. Entre os judeus havia um esquema religioso que serviu como fundamento justificador da supremacia e domínio dos sacerdotes saduceus: o sistema do puro e do impuro.

Quem eram os saduceus

Os saduceus formavam um partido composto pela elite sacerdotal (que administrava o Templo e era responsável pelo culto), pelos grandes proprietários de terra e pela elite dos comerciantes. O chefe do partido era o sumo sacerdote. Com medo de perder seus cargos e privilégios, eles sempre mantiveram uma política de conciliação com o dominador estrangeiro. Quanto à religião, eram conservadores, não admitindo nenhuma inovação e aceitando apenas a autoridade da lei escrita, conforme a interpretação dada por eles.

O puro e o impuro

O sistema religioso do puro e do impuro era concebido de maneira a envolver tanto o mundo como a sociedade judaica, de tal modo que um correspondia ao outro.

1. O esquema geográfico do puro e do impuro

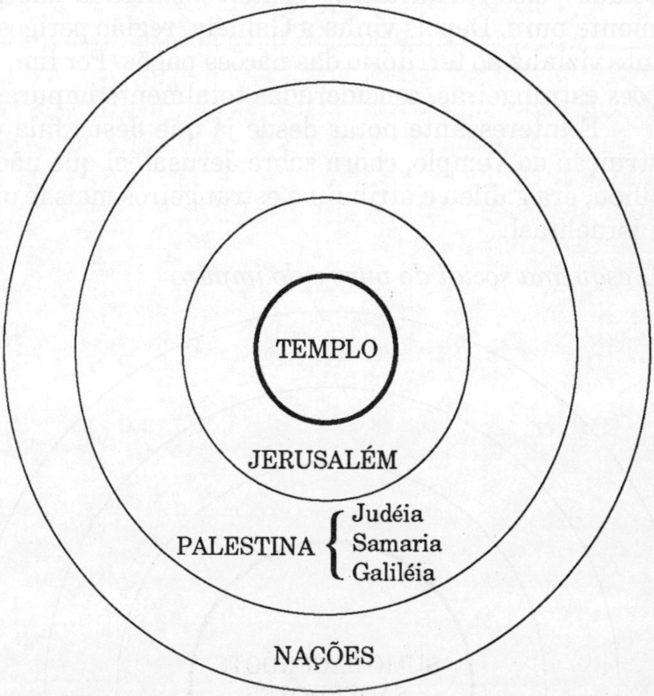

Para seguir este esquema é importante ter na frente o mapa da Palestina (veja acima).

No centro do mundo ficava o *Templo*, o único lugar onde se poderia prestar culto verdadeiro ao Deus verdadeiro. De fato, para os judeus, o Templo era o lugar da presença de Deus no mundo, de onde ele se relacionava com os homens e vice-versa. Envolvendo o Templo, estava a cidade de *Jerusalém*, a cidade santa, onde eram celebradas as grandes festas religiosas. Ao redor de Jerusalém se estendia a *Palestina*, a Terra Santa, a Terra Prometida, que devia pertencer unicamente aos verdadeiros adoradores de Javé. Dos territórios palestinenses, o mais próximo do centro do mundo, da morada de Deus, era a Judéia. Mais afastada ficava a região da Samaria, habitada pelos samaritanos, gente considerada não totalmente pura. Depois vinha a Galiléia, região perigosamente vizinha ao território das nações pagãs. Por fim, as *nações* estrangeiras, consideradas totalmente impuras.

É interessante notar desde já que Jesus fala da destruição do Templo, chora sobre Jerusalém que não o acolheu, era galileu e atribuiu a estrangeiros mais fé que aos israelitas!

2. O esquema social do puro e do impuro

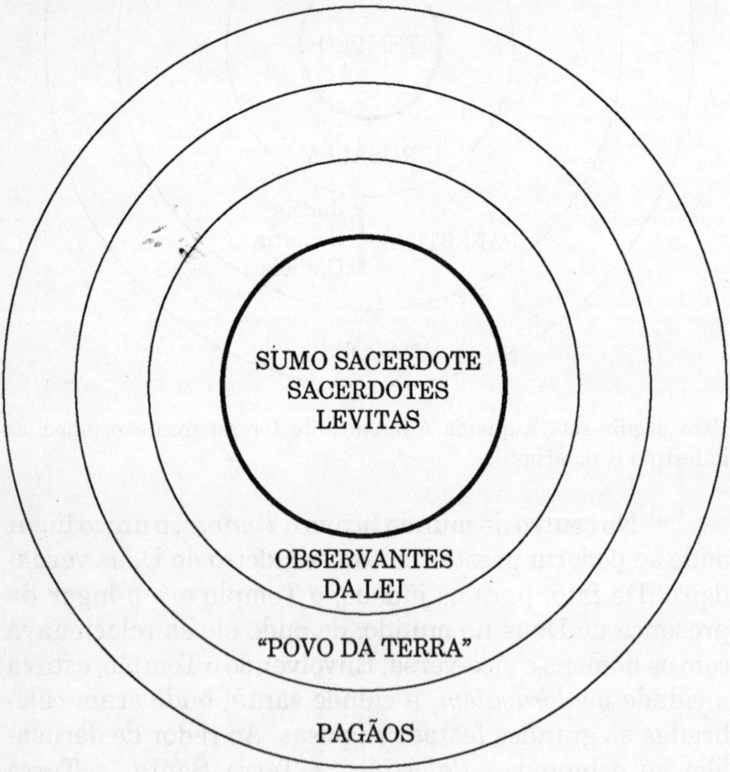

O sistema do puro e impuro servia não só para se orientar dentro do mundo, mas também na sociedade.

O *sumo sacerdote* era a máxima autoridade religiosa. Só ele podia entrar no recinto mais sagrado do Templo e oferecer os sacrifícios mais importantes. Estava, portanto, mais perto de Deus que todas as pessoas do mundo, e era o mais puro dos homens! Sua pessoa era sagrada, suas ordens eram sagradas, e até suas vestes eram sagradas.

Os *sacerdotes* estavam divididos em alto e baixo clero. A elite sacerdotal participava ativamente dos ofícios religiosos e na oferta de sacrifícios. Vivia em Jerusalém e cumpria longos rituais de purificação, para se livrar das impurezas contraídas com pessoas impuras. Os sacerdotes de segunda categoria ajudavam na matança de animais para os sacrifícios, faziam turno para a oferta do incenso, e a maioria deles morava em outras cidades, no interior. Os *levitas* cuidavam da roupa dos sacerdotes, da água para a purificação, eram porteiros e cantores.

Os *observantes da Lei* eram leigos que procuravam executar todas as normas propostas para se conservarem puros. Eram leis minuciosas que atingiam todas as atividades cotidianas. Entre eles se destacavam os fariseus, que faziam da observância dessas leis o ponto fundamental para se relacionar com Deus.

"Povo da terra" é uma expressão que, nesse tempo, designava todos os habitantes judeus da Palestina, considerados impuros e até malditos. Entre eles estavam os analfabetos (porque não podiam estudar as leis para observá-las), os cobradores de impostos, as prostitutas, os que contraíam doenças impuras (os leprosos, por exemplo), e gente que exercia profissão considerada não digna e impura. Sobre o "povo da terra", voltaremos a falar mais adiante.

Os *pagãos* não circuncidados eram considerados como gente que não tinha salvação, pois estavam muito distantes de Deus. A única saída seria eles se converterem ao judaísmo.

Notemos que Jesus não era sacerdote nem levita, desobedecia com freqüência às leis e as criticava, deixava-se tocar, conversava, comia com o povo da terra e anunciava o Evangelho também aos pagãos!

38. RELIGIÃO E PODER (II)

O Templo de Jerusalém

Durante a vida de Jesus, o novo Templo de Jerusalém está sendo construído e em fase de acabamento. Sua grandiosidade se assemelha e, talvez, até supera a do Templo construído por Salomão. É o centro da vida dos judeus, não só daqueles que vivem na Palestina, mas também de todos os que vivem em outras regiões, espalhados pelo mundo. Na época das grandes festas, a cidade de Jerusalém recebe peregrinos de todos os cantos, e sua população praticamente triplica.

O Templo repete em sua construção o mesmo esquema do puro e do impuro. Podemos perceber melhor isso observando a sua "planta" e comparando-a com o esquema seguinte e com os esquemas do capítulo anterior.

O "Santo dos Santos" era o recinto mais sagrado, fechado por uma cortina, e ninguém podia entrar aí, a não ser o sumo sacerdote, uma vez por ano. Era o lugar sagrado da presença de Deus.

O "Santo" era o lugar onde ficava a mesa com os doze pães consagrados (que simbolizavam o povo de Israel diante de Deus), o candelabro de sete braços e o altar do incenso. Só os sacerdotes podiam entrar nele.

Para manter a sacralidade desses dois recintos, havia uma sala de entrada, chamada "Vestíbulo". Essas três partes cobertas e ricamente ornamentadas formavam o *Santuário*, isto é, o Templo propriamente dito.

Ao redor do Santuário, os pátios, a céu aberto, onde se realizavam as cerimônias e as festas.

No pátio dos sacerdotes estava instalado o altar dos sacrifícios, que era separado, por uma mureta com degraus, do pátio dos homens e dos israelitas. Jesus,

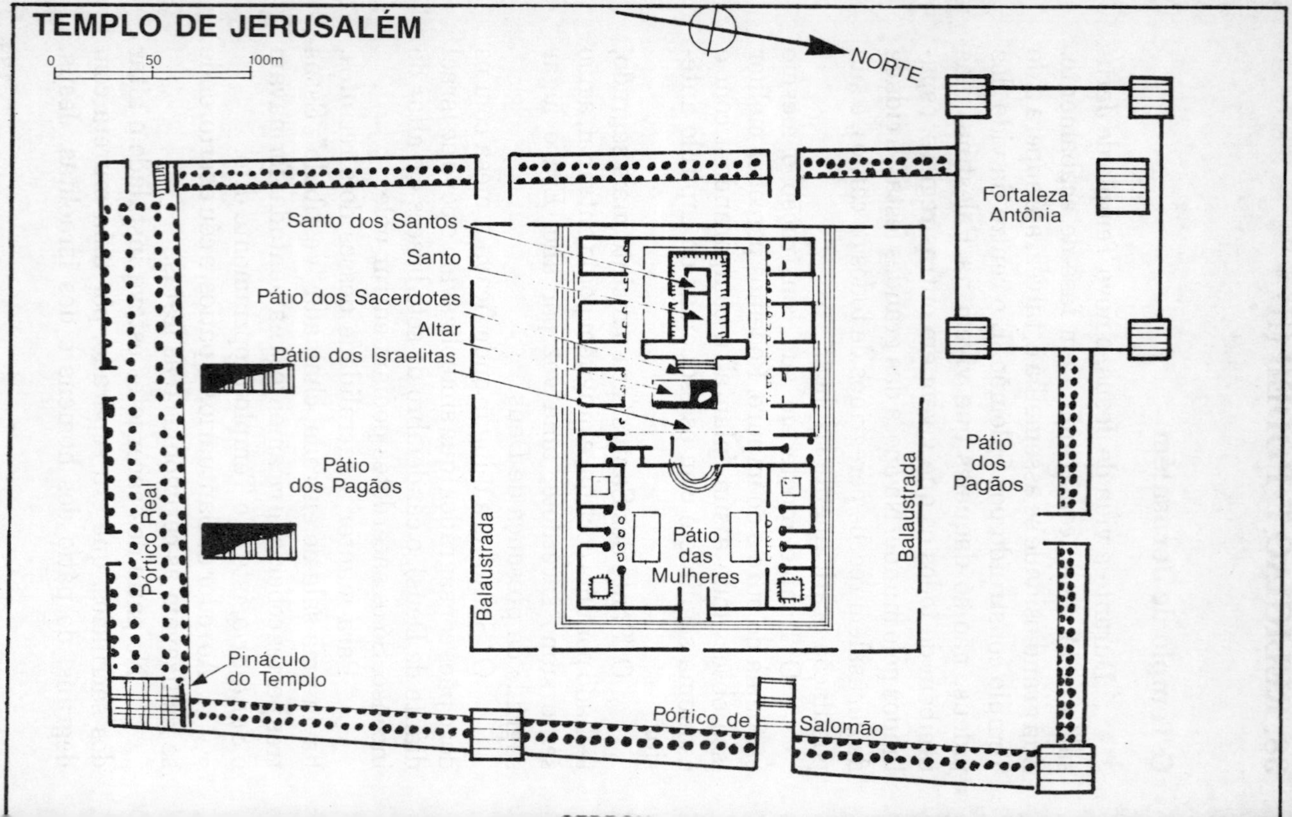

TEMPLO DE JERUSALÉM
0
50
100m
NORTE
Fortaleza Antônia
Santo dos Santos
Santo
Pátio dos Sacerdotes
Altar
Pátio dos Israelitas
Pátio dos Pagãos
Pátio dos Pagãos
Balaustrada
Balaustrada
Pátio das Mulheres
Pórtico Real
Pináculo do Templo
Pórtico de Salomão

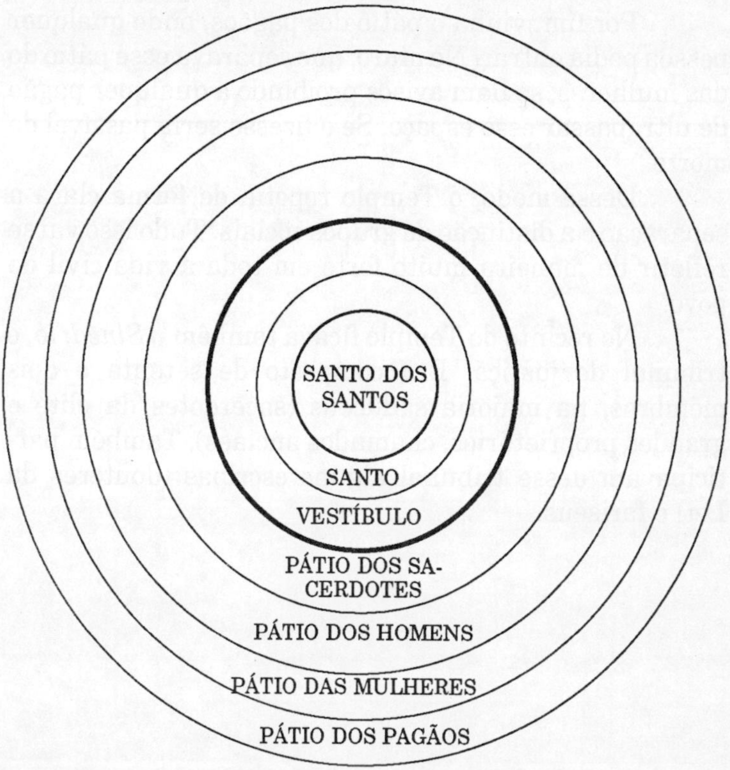

sendo leigo, só podia chegar até esse pátio. As mulheres deviam ficar em lugar mais distante do recinto sagrado do Santuário, separadas por muros, no pátio das mulheres. Essa separação e distância das mulheres revelava o lugar secundário que elas ocupavam na sociedade. Havia uma oração que os judeus rezavam todos os dias e que dizia: "Agradeço-te, meu Deus, por não me teres feito mulher". Os sacerdotes e pessoas de respeito não podiam ser vistos conversando com mulher. Jesus não só conversa, como se deixa tocar por mulheres e por aquelas que eram consideradas as mais impuras: prostitutas, doentes... Além disso, se fazia acompanhar por um grupo de mulheres.

Por fim, vinha o pátio dos pagãos, onde qualquer pessoa podia entrar. No muro, que separava esse pátio do das mulheres, se liam avisos proibindo a qualquer pagão de ultrapassar esse espaço. Se o fizesse seria passível de morte.

Desse modo, o Templo repetia de forma clara a separação e a distinção de grupos sociais. Tudo isso vai se refletir de maneira muito forte em toda a vida civil do povo.

No recinto do Templo ficava também o *Sinédrio*, o tribunal de justiça. Era composto de setenta e dois membros, na maioria saduceus (sacerdotes da elite e grandes proprietários, chamados anciãos). Também participavam desse tribunal alguns escribas (doutores da Lei) e fariseus.

39. RELIGIÃO E PODER (III)

A riqueza do Templo

O Templo era fundamental na idéia que os judeus faziam do mundo e da sociedade. Por isso, o lugar sagrado tornou-se o centro de toda a vida da Palestina e revestiu-se de grande importância econômica, formando uma só coisa com o Estado. No Templo eram recolhidos três tipos de impostos:

1. *O resgate*: Cada pessoa que completasse vinte anos devia pagar uma quantia para resgatar sua vida diante de Deus, o dono da vida. Tal quantia era a mesma para pobres e ricos, pois todos são iguais diante de Deus!

2. *Os gastos do Templo*: Todos pagavam anualmente um imposto para a sustentação dos sacrifícios, restaurações, sustento dos sacerdotes etc. Esse dinheiro era arrecadado nos distritos ou podia ser levado diretamente ao Templo. Esse imposto era pago também pelos judeus que viviam fora da Palestina.

3. *Ofertas voluntárias*, que eram entregues aos sacerdotes ou depositadas em cofres instalados no pátio das mulheres.

Além disso, os sacerdotes tinham direito a partes dos animais sacrificados, à farinha e ao óleo, que eram entregues para as oferendas. No Templo também eram depositados bens particulares, principalmente por parte da aristocracia (grandes proprietários e ricas famílias sacerdotais).

Desse modo, os impostos e as ofertas, unidos às propriedades em terrenos e vilas, faziam do Templo a maior instituição bancária da época. Era tão grande a riqueza do Templo que, após a conquista da cidade de

Jerusalém no ano 70 d.C. pelos romanos, o preço do ouro baixou pela metade em toda a região.

Quem administrava essa riqueza?

Todos os bens do Templo estavam nas mãos do alto clero de Jerusalém, comandado pelo sumo sacerdote. A esse grupo estavam unidos os anciãos, que formavam a aristocracia rica e leiga de Israel, proprietários de muitas terras e que controlavam o comércio de grande porte. Eram eles também que, juntamente com o sumo sacerdote, administravam o comércio de aves e animais para os sacrifícios, vendidos em Jerusalém. Provavelmente controlavam o câmbio da moeda para o Templo. De fato, a moeda era considerada impura, e não podia entrar nos cofres do Templo; por isso, devia ser trocada por outro tipo de moeda.

Desse modo a grande economia da Palestina passava pelo Templo e pelas mãos dos chefes dos sacerdotes e dos anciãos. Lembremos ainda que todos os cargos importantes no Templo eram cargos de confiança, ocupados pelos membros da família ou amigos do sumo sacerdote.

A elite

A elite social da Palestina no tempo de Jesus era formada pelos sacerdotes de primeira classe (alto clero) e pelos grandes comerciantes e proprietários de terras leigos (anciãos). Unidos, constituíam o partido dos saduceus. Podemos resumir o poder que eles tinham na sociedade:

— poder econômico: centralização do dinheiro no Templo, que se tornou um grande banco;

— poder ideológico-religioso: através do sistema do puro e do impuro;

— poder político: era o ponto mais fraco da elite. Embora controlasse a vida civil, a dominação romana exercia rígida vigilância sobre essa oligarquia. Por isso, os saduceus procuravam sempre estar de acordo com os romanos para assegurarem seus cargos e privilégios.

> **ARISTOCRACIA E OLIGARQUIA**
>
> São duas palavras muito parecidas no seu significado.
> *Aristocracia* é um tipo de organização social e política em que o governo é monopolizado por uma classe privilegiada.
> *Oligarquia* é o governo de poucas pessoas, pertencentes ao mesmo partido, classe ou família.

Ler a história com fé

O relacionamento com Deus, que quer vida plena para todos, é o fundamento de toda e qualquer religião. Quando esta é usada para manter domínio sobre o povo e preservar poder e privilégios, desfigura o verdadeiro relacionamento com Deus. Jesus, o Filho de Deus encarnado, não só criticou, mas desprezou a lei do puro e do impuro, para poder curar e dar vida para todos aqueles que dele se aproximavam (cf. Mc 1,40-45).

Para refletir

Quais são os meios que a elite usa hoje para se manter no poder e deixar o povo quieto e apático? Vocês sabem como é composta a elite brasileira? Essa elite usa a religião para manter o poder? Como?

40. SABER E PODER

Além do poder econômico e político, outro instrumento que serve para exercer domínio sobre o povo é o *saber*. Isto é: ter certos conhecimentos fundamentais de leis que regem a sociedade, sem transmiti-los integralmente, a não ser para um grupo de iniciados. Por exemplo: os mecanismos que regem a economia de um país deveriam ser expostos com clareza e simplicidade para que todos ficassem sabendo como é administrado o dinheiro público. No entanto, somente uma elite intelectual manipula esse conhecimento e, quando os sabidos resolvem explicá-lo à população, o fazem de maneira tão complicada e obscura que acabamos desistindo de entender e deixamos que eles resolvam tudo. Desse modo, tal conhecimento se torna instrumento de dominação: somente aqueles que conhecem podem dizer o que é certo e o que é errado.

Como a ciência econômica, também a religião, quando restrita ao conhecimento de poucos, pode se tornar instrumento perigoso de dominação, pois atinge a consciência das pessoas. Na Palestina do tempo de Jesus, havia dois grupos que detinham o saber: os escribas (ou doutores da Lei) e os fariseus. Esse saber era exercido em duas instâncias oficiais: no Sinédrio e nas sinagogas.

O QUE É SINAGOGA?

Sinagoga era o lugar onde o povo judeu se reunia para a oração, para ouvir a palavra de Deus e para a pregação. Em geral, a sinagoga pertencia à comunidade local. Nos povoados menores, ela servia também de escola para jovens e crianças. Nos centros maiores, construíam-se salas de aula, ao lado da sala de reunião. Em Jerusalém, algumas sinagogas tinham até hospedaria e instalações sanitárias para os peregrinos. Enquanto o Templo era o lugar de culto e sacrifícios, freqüentado pelo povo por ocasião das grandes festas, as sinagogas eram centros religiosos e educacionais espalhados por todo o país, presentes até mesmo nos menores povoados. Até hoje os judeus do mundo inteiro têm suas sinagogas.

Os escribas ou doutores da Lei

Os escribas eram intérpretes abalizados das Escrituras. Como estas eram também diretivas para a vida civil do povo, os escribas eram especialistas em direito, administração e educação. Exerciam suas funções de intelectuais no centro de decisões jurídicas (Sinédrio) e nos centros de educação (sinagogas). No Sinédrio, se apresentavam como juristas para aplicar a Lei em assuntos governamentais e em questões judiciárias. Nas sinagogas, eles eram os grandes intérpretes das Escrituras, criando a tradição através da releitura, explicação e aplicação da Lei para os novos tempos. Abriam escolas e faziam novos discípulos. Embora não pertencessem economicamente à classe mais abastada, os escribas gozavam de uma posição muito importante. Monopolizando a interpretação das Escrituras, tornaram-se guias espirituais do povo. A grande autoridade deles repousava numa tradição, segundo a qual não ensinavam tudo o que sabiam, escondendo a maneira como chegavam a certas conclusões.

Os fariseus

O grupo dos fariseus era formado por leigos provindos de várias camadas da sociedade, principalmente artesãos e pequenos comerciantes. A maioria do clero pobre também pertencia ou era simpatizante desse grupo. Nacionalistas e contrários à dominação romana, os fariseus exerciam uma resistência de tipo passivo. No terreno religioso, se caracterizavam pelo rigoroso cumprimento da Lei em todos os campos e situações da vida diária. Conservadores zelosos e também criadores de novas tradições, interpretavam a Lei para o momento histórico em que viviam. Acreditavam na ressurreição dos mortos e na vinda do Messias, descendente de Davi, que traria a liberdade para Israel. Para eles, a observância rigorosa da Lei era a única coisa que poderia provocar a vinda do Messias. Eles tomavam conta das sinagogas e mantinham estreitas relações com os escribas.

Ler a história com fé

Embora as classes mais altas e os intelectuais insistam em manter o monopólio do saber, preservando assim outra área de domínio, a fé nos ensina que Deus revelou os segredos fundamentais da vida ao povo simples: "Eu te louvo, Pai, Senhor do céu e da terra, porque escondeste essas coisas aos sábios e inteligentes, e as revelaste aos pequeninos" (Mt 11,25).

Para refletir

Como os intelectuais, os estudados, usam o seu saber hoje? É um instrumento de dominação ou de organização da sabedoria do povo, para devolvê-la ao povo? Entre nós ainda existe o preconceito de que só os estudados é que sabem das coisas?

41. GRUPOS DE CONTESTAÇÃO

Os fariseus estavam muito mais próximos do povo do que os saduceus. No entanto, a concepção de que a observância da Lei em seus mínimos detalhes era fundamental, os afastava do povo mais simples e analfabeto. Visto que estes (os simples e analfabetos) não tinham condições para observar as regras legais, por desconhecimento ou posição social, os fariseus os tinham como malditos, pois, segundo eles, retardavam a vinda do Messias e a libertação de Israel. Assim, distanciados dos saduceus, os fariseus o eram também da grande massa. Outro fator que os mantinha numa posição até certo ponto conservadora era a passividade diante do poder romano.

Zelotas

Dentro do partido dos fariseus, surgiu um grupo que não se conformava com a atitude passiva diante do domínio de Roma. Afinal, o rei de Israel era o próprio Deus, e não o imperador romano, que não passava de um idólatra. Por isso, muitos resolveram se organizar e agir concretamente para expulsar os romanos e restaurar a soberania israelita, através do enfrentamento aberto e até armado. As autoridades os perseguiam, pois estas os consideravam criminosos e terroristas. Os zelotas recrutavam seus combatentes entre os pequenos camponeses da Galiléia, que sofriam mais particularmente com a dura dominação colonial e social. Entre os apóstolos de Jesus, provavelmente dois eram zelotas: Simão e Judas Iscariotes. Simão Pedro parece adotar certos métodos zelotas.

"Bandidos sociais"

Geralmente os historiadores ignoram a presença de movimentos populares sociais que não se alinhavam com os "partidos" mais organizados. Mas, sem dúvida nenhuma, existiam na Palestina no tempo de Jesus expressões de revolta popular contra a miséria e a exploração. Camponeses arrendatários, operários assalariados e outros explorados encontravam formas de resistência. Chefiados por um líder espontâneo, faziam assaltos, emboscadas a caravanas e lutavam acuados pela miséria e desespero. Eram considerados bandidos, desordeiros, vagabundos que só queriam roubar. No entanto, a ação deles tinha a finalidade inconsciente de desestabilizar um sistema dentro do qual eram marginalizados. Tal movimento popular contestatório é comumente chamado de "banditismo social". Talvez os dois bandidos crucificados ao lado de Jesus fizessem parte desse movimento popular.

Essênios

O grupo dos essênios foi o resultado da fusão entre sacerdotes contestadores do clero de Jerusalém e de leigos exilados. Embora se assemelhassem aos fariseus em muitos pontos, estavam em ruptura radical com o judaísmo oficial. Tendo deixado Jerusalém, dirigiram-se para regiões de grutas, para aí viverem um ideal de "monges". Levavam vida em comum, onde os bens eram divididos entre todos, tinham a obrigação de trabalhar com as próprias mãos, o comércio era proibido, assim como o derramamento de sangue, mesmo em forma de sacrifícios. A organização da comunidade era muito rígida: condições severas para a admissão, prova de dois anos, governo hierárquico, rituais de purificação e refeições sagradas comunitárias. Esperavam um messias chamado Mestre da Justiça, que organizaria a guerra santa para exterminar os injustos e estabelecer o reino eterno dos justos. Os essênios se tornaram mais conhecidos a partir da descoberta de documentos em grutas perto do mar Morto. Há quem diga que João Batista tenha pertencido a esse grupo.

Ler a história com fé

Tanto os romanos, como a classe dominante na Palestina, interpretaram a ação de Jesus como um movimento contestatório. De fato, ele foi crucificado entre dois ladrões, e a acusação irônica de sua morte estava escrita no alto da cruz: "Jesus Nazareno, rei dos judeus". Certamente, Jesus veio mostrar que o Pai está do lado daqueles que lutam para instaurar um sistema de vida para os marginalizados dentro de uma sociedade que produz morte para a maior parte da população, mesmo que não aprove todos os métodos usados por aqueles que procuram se defender da violência institucionalizada.

Para refletir

Vocês conhecem na história do Brasil movimentos contestatórios à ordem vigente? Qual foi a sorte deles? Hoje, existem movimentos populares contestatórios? Na sua região existe algum? E a comunidade em que vocês vivem, é passiva ou procura agir quando os pobres e indefesos são explorados e marginalizados? Qual tipo de contestação a comunidade exerce?

42. ECONOMIA

A atividade econômica da Palestina no tempo de Jesus depende da agricultura, pecuária, pesca, artesanato e do comércio.

A *agricultura* é o setor mais desenvolvido nessa época. O que mais se planta é o trigo, que é a base da alimentação. É cultivado por toda parte, embora sua grande produção esteja centrada nas planícies da Galiléia, que abastece a Judéia e Jerusalém. Devemos notar que o trigo da Galiléia não podia servir para as ofertas no Templo. Isso porque, para chegar ao Templo, devia passar pela Samaria, e assim era considerado impuro! Junto com o trigo, cultiva-se também cevada, que é misturada com o trigo em tempo de carestia. É a farinha dos mais pobres, e serve de ração para o gado e as aves.

Os olivais, ou plantações de azeitonas, são encontrados abundantemente no sul e no norte. Embora o azeite produzido não seja de primeira qualidade, é exportado para o Egito e a Síria. As videiras crescem mais na Judéia, e o vinho é de ótima qualidade, sendo exportado para outros países. Seu consumo é bastante difundido no país. Igualmente os figos fazem parte da alimentação cotidiana e são exportados até para Roma. Outras frutas e legumes produzidos são: lentilhas, ervilhas, alface, chicória, agrião, romãs, tâmaras e maçãs.

A *pecuária* era difundida tanto no sul, onde a criação de ovelhas é mais extensa, quanto no norte, onde a criação de vacas e bois é preferida. Por mais incrível que possa parecer, o Templo é o principal consumidor de carnes, oferecidas em sacrifício. Em seguida, são as camadas mais abastadas da população que consomem a carne produzida. O povo pobre come carne raramente, e muitos só na Páscoa ou por ocasião dos sacrifícios de comunhão.

O QUE É SACRIFÍCIO DE COMUNHÃO

O sacrifício de comunhão, também chamado pacífico, era uma espécie de banquete sagrado, para exprimir a comunidade de vida e a relação de aliança e amizade entre os fiéis e Deus. O animal (ovelha, cabra ou boi) entregue para o sacrifício era oferecido a Deus e depois repartido em três partes: toda a gordura, rins, fígado e a cauda eram queimados no altar; a melhor parte ficava com os sacerdotes; a parte restante era comida pelos fiéis reunidos em família e vizinhança.

A *pesca* era desenvolvida no mar Mediterrâneo, no rio Jordão e principalmente no lago de Genesaré. Além de ser consumido fresco pela população, o peixe também era salgado ou defumado, e comercializado em todo o país.

O *artesanato* crescia e se desenvolvia nos centros urbanos. Existiam muitas categorias de artesãos, mas as principais atividades eram a cerâmica, tecelagem, couro e madeira. Em Jerusalém concentrava-se o artesanato de luxo para o Templo (perfumes) e para ser vendido aos peregrinos, que já naquele tempo gostavam de levar lembranças da Cidade Santa.

O *comércio* era intenso na Palestina, principalmente a importação e exportação, que são controladas por grandes negociantes, que têm escritórios e depósitos. São verdadeiros banqueiros e especuladores. Geralmente os grandes comerciantes judeus vão morar em Jerusalém, pois o Templo é o maior importador de produtos de luxo: cedro, aromas, pedras preciosas, cobre, seda, bronze. As exportações são de gêneros de primeira necessidade: trigo, frutas, óleo, vinho, peixe, peles e tecidos.

Além do comércio externo, havia, é claro, o comércio interno. Nas aldeias é bem reduzido, porque funciona mais o sistema de troca de mercadorias. Os excedentes da produção vão para as cidades, principalmente Jerusalém.

As mercadorias são transportadas em burros ou camelos. Geralmente se formam grandes caravanas, para se evitar assaltos e roubos. Certamente tais caravanas eram organizadas por centrais de transportes.

Toda a atividade comercial era controlada por um sistema de impostos, que vai se tornar insuportável no tempo de Herodes, e que persiste na época de Jesus. Foi quando o nome publicano (= cobrador de impostos) tornou-se sinônimo de ladrão e assassino. Essa política fiscal fazia com que o Estado, tanto romano como judeu, aparecesse como grande arrecadador da circulação de mercadorias. Esse imposto direto sobre a compra e a venda de todos os produtos, mesmo os de primeira necessidade, era chamado de imposto público, uma espécie de ICM da época.

É dentro desse sistema econômico que veremos, no próximo número, como era formado o sistema de classes sociais na Palestina.

Para refletir

Vocês sabem o que o Brasil mais produz? O que exporta e o que importa do estrangeiro? Em que favorece o povo esse sistema de importação e exportação? Vocês sabem que pagam impostos de todas as mercadorias que compramos ou vendemos? Para onde vai esse dinheiro? Como é usado?

43. GRUPOS SOCIAIS

Além dos tabus religiosos (lei do puro e do impuro), mais dois fatores podem ser analisados como determinantes na formação da sociedade palestinense na época de Jesus: a base econômica e o critério de descendência.

1. A formação da sociedade a partir da economia

Para descrever as camadas sociais existentes na Palestina, vamos usar palavras conhecidas entre nós, embora não sejam as mais apropriadas para o tempo de Jesus: classe alta, classe média e classe pobre.

A "classe alta" era formada por grandes proprietários de terras e rebanhos, grandes comerciantes e pela elite estatal (a família de Herodes e o alto clero). Embora sob uma fachada nacionalista, eles estavam perfeitamente integrados no sistema de dominação romana e, por isso, mantinham seus privilégios e interesses. Essa foi a "classe" que mais se interessou na condenação de Jesus.

A "classe média" era composta por pequenos proprietários agrícolas, pequenos artesãos e profissionais independentes, comerciantes, cobradores de impostos, burocratas do segundo escalão e o baixo clero. Os mestres (escribas e fariseus), em geral, pertenciam a essa "classe", e muitos deles não viam com bons olhos a atuação de Jesus.

A "classe pobre" consistia de assalariados, meeiros, pastores, empregados de fábricas artesanais, funcionários de baixo escalão no Templo ou na corte, rachadores de lenha, carregadores de água etc.

Por fim, existia uma grande massa de marginalizados: mendigos, escravos, bandidos, desempregados, leprosos, doentes mentais, endividados, prostitutas etc.

Resumindo essas "classes" e seus relacionamentos, podemos visualizar os triângulos a seguir:

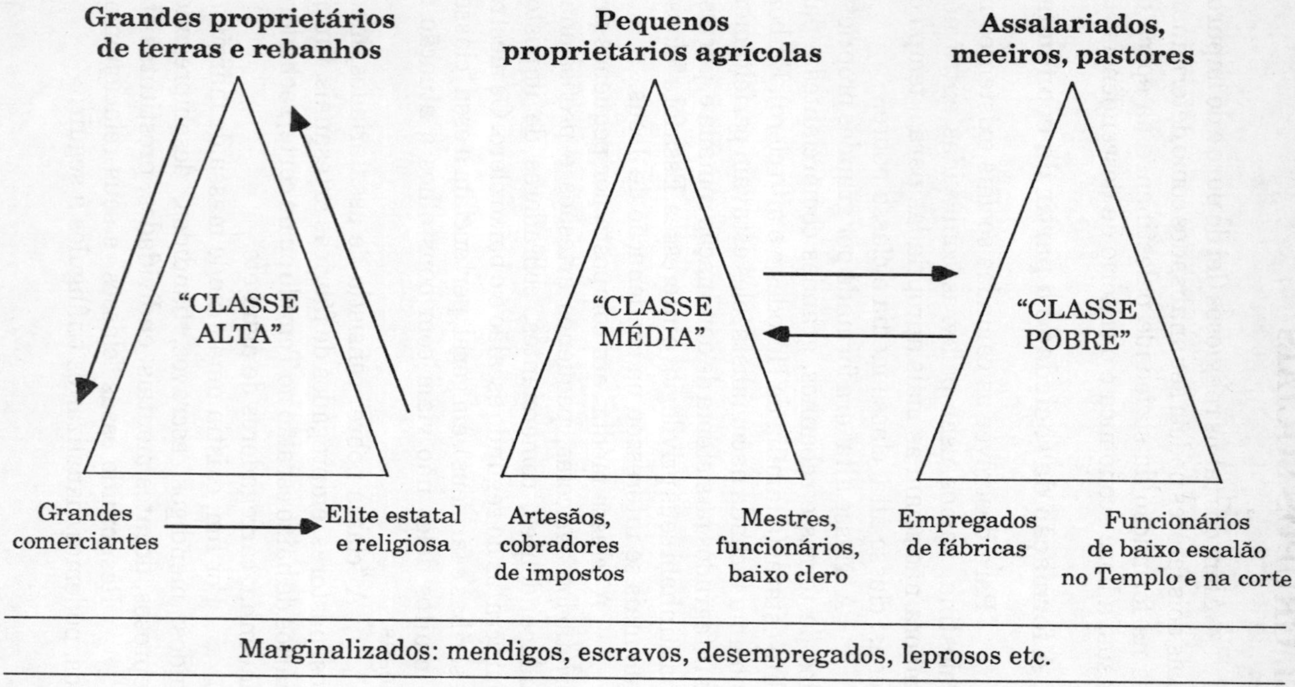
Grandes proprietários de terras e rebanhos
Pequenos proprietários agrícolas
Assalariados, meeiros, pastores
"CLASSE ALTA"
"CLASSE MÉDIA"
"CLASSE POBRE"
Grandes comerciantes
Elite estatal e religiosa
Artesãos, cobradores de impostos
Mestres, funcionários, baixo clero
Empregados de fábricas
Funcionários de baixo escalão no Templo e na corte
Marginalizados: mendigos, escravos, desempregados, leprosos etc.

Notem pelas flechas que a "classe alta" formava um todo fechado, que se relacionava somente entre si (as três pontas do primeiro triângulo). As "classes" média e pobre mantinham certa solidariedade e relacionamento, possibilitando mobilidade de classe. Apenas alguns escribas conseguiram de certa maneira penetrar no primeiro triângulo. Isso por causa do saber que possuíam e que os levou a serem membros do Sinédrio. Por isso, às vezes, vamos encontrá-los como porta-vozes da "classe alta".

2. A formação da sociedade a partir da descendência

A disparidade econômica tinha uma justificativa "natural" baseada na legitimidade de origem familiar. Tal origem era classificada em três tipos:

Famílias de origem legítima: É delas que provinham os sacerdotes, que deveriam estar em contato contínuo com a pureza do Templo. Somente as moças dessas famílias podiam se casar com sacerdotes. Vamos encontrar gente dessas famílias tanto na "classe alta" (primeiro triângulo) como na "classe média" (segundo triângulo). Entretanto, para sair da classe média e entrar na alta não bastava ter legitimidade de família, mas era necessário também ter posses.

Famílias de origem legítima com mancha leve eram os descendentes ilegítimos de sacerdotes, trabalhando em ofícios desprezíveis, escravos judeus, escravos pagãos libertos ou convertidos. Estes podiam casar-se com judeus de origem legítima e com levitas. Tal "ascensão social", porém, era restrita e, mais que valorizar a origem legítima, na maioria das vezes era, para a família legítima que se unia a eles, uma descida na escala social.

Famílias de origem ilegítima com mancha grave eram os bastardos, escravos pagãos, filhos de pai desconhecido, samaritanos, eunucos. Sem possibilidade nenhuma de ascensão social, essas pessoas marginalizadas eram odiadas ou, no máximo, toleradas dentro da sociedade.

A sociedade na qual Jesus nasceu, viveu e exerceu sua atividade, fazia grande diferença entre as pessoas. Pior ainda: essa diferença era considerada até sagrada, pois tinha como fundamento ideológico a lei do puro e do impuro, isto é, permissão ou não de participar do direito de ser povo de Deus. É importante notar também que os puros, na grande maioria, se identificavam com aqueles que tinham mais poder econômico. Dessa maneira, formava-se um círculo vicioso para os pobres: não podiam ter vida econômica melhor porque não eram totalmente puros, e não podiam ser mais puros porque não tinham possibilidade econômica. Assim, vigorava um sistema que produzia a idéia de que Deus fazia uma seleção natural (através da descendência) de seus escolhidos mais queridos que, por coincidência, eram os mais abastados. Se isso provinha de Deus, como poderia ser mudado?

Ler a história com fé

Dentro da fé cristã, a proposta de Deus para os homens é a abolição de qualquer critério que possa estabelecer diferença entre as pessoas, seja econômica, racial, de sexo, cultural. Todo homem e toda mulher são feitos à imagem e semelhança de Deus, e por isso qualquer expressão de domínio sobre o outro é ofensa ao próprio Deus.

Para refletir

Entre nós, quais são os critérios que estabelecem diferença entre as pessoas? Aqueles que têm mais dinheiro? Aqueles que pertencem a alguma família nobre? Os nascidos no sul ou no norte? Os que são mais moralistas ou menos moralistas? Pertencentes a uma determinada raça? Quais são os nossos preconceitos arraigados que, no fundo, quebram a fraternidade e, portanto, não têm nada a ver com a natureza ou com o projeto de Deus?

44. O POVO DA TERRA

Vamos nos deter agora entre os marginalizados e mais explorados na Palestina, e ver com mais detalhes como é que eles viviam e o que esperavam da vida e de Deus. Essa categoria social era chamada de "povo da terra".

1. Quem era o "povo da terra"?

"Povo da terra" era uma expressão usada para indicar todos os trabalhadores incultos que ganhavam salários minguados, e que formavam parte importante de Israel. Essa massa explorada e sem instrução era também desprezada culturalmente pelos escribas e fariseus, a quem chamavam de "povo maldito".

Dentro do "povo da terra" encontramos:

a. Os pequenos proprietários agrícolas, que trabalhavam em lavouras pequenas e de tipo familiar. Visto que seus sítios eram pequenos, muitas vezes os filhos precisavam buscar trabalho em fazendas maiores ou no exterior. Os produtos cultivados nos pequenos sítios eram para o consumo ou para fazer troca com outra mercadoria de que necessitassem. Esse sistema de troca evitava o pagamento de impostos.

b. Os pequenos artesãos, isto é, aqueles que trabalhavam por conta própria num trabalho que não fosse a lavoura. Muitos desses ofícios eram mal vistos e desprezados: curtidor, açougueiro, pastor, tecelão, cobradores de impostos etc. Uns eram vistos como ladrões, outros como mentirosos, outros cheiravam mal, e assim por diante. Entre eles estavam também os pescadores.

c. Operários diaristas que um dia, por causa da seca, da concorrência ou de outro fator, perderam sua independência e viam-se obrigados a depender de um patrão para sobreviver. A situação dos diaristas era a pior possível, pois podiam ter trabalho hoje, e amanhã serem despedidos. Eram os "bóias frias" da época.

É preciso notar que havia gente vivendo em situação pior ainda:

- *Mendigos* que pediam esmolas nas cidades, principalmente em Jerusalém, onde havia muitos peregrinos. Entre eles, muitos eram leprosos, atacados de doença de pele e considerados impuros.
- *Ladrões* que apelavam para o último recurso de sobrevivência, e que acabaram inclusive se tornando fator de instabilidade, importunando não só a população, mas principalmente o governo.
- *Escravos judeus*: pessoas que, sem possibilidade de pagar suas dívidas com o que possuíam, acabavam sendo possessão do credor. Alguns, para manter o necessário para sobreviver, vendiam um filho ou uma filha. Embora pertencendo ao patrão, ele podia tornar-se livre se conseguisse dinheiro para tal ou se fosse resgatado por alguém de sua família.
- *Escravos pagãos* que eram comprados por toda a vida e se tornavam propriedade definitiva do patrão, não podendo possuir absolutamente nada como seu. O tratamento que recebiam dependia da boa ou má vontade do seu dono.

O "povo da terra" e os totalmente marginalizados constituíam uma grande massa que poderia a qualquer momento provocar uma convulsão social, se não fosse devidamente controlada ideologicamente.

2. O que o "povo da terra" esperava?

Em primeiro lugar, esse grupo esperava ser valorizado dentro da sociedade em que vivia. Por isso, a relação com os fariseus e escribas era tensa, pois estes consideravam esse grupo como "povo maldito". O rabino Akiba dizia: "No tempo em que eu era um do povo da terra, se eu pudesse pegar um sábio, eu o morderia como um asno". É por isso que o povo se alegrava e aclamava Jesus quando este criticava os fariseus e escribas, colocando-os em apuros. Os próprios dirigentes da nação marginalizavam o povo: os saduceus fechados em seu castelo-templo, e os fariseus votando-lhes desprezo.

Quanto ao futuro, o "povo da terra" também se sentia totalmente inseguro: as pessoas do povo eram acusadas por fariseus e essênios de serem culpadas pelo domínio estrangeiro; os saduceus diziam que não havia nada para se esperar no futuro, e que era no presente que Deus mostrava sua justiça, que estava do lado dos que têm tudo. Desse modo, o povo se debatia entre o desespero e a espera do Messias, entre a passividade e a busca de sinais de mudança. Por isso, o povo se agrupava em torno de quem lhe oferecesse alguma alternativa.

3. Jesus e o "povo da terra"

Sem dúvida nenhuma, Jesus teve como ouvintes atentos o "povo da terra" e os totalmente marginalizados, pois a sua atuação representava uma esperança nova.

45. JESUS E O POVO DE DEUS

Percorremos quase 1.300 anos da história do Povo de Deus, desde a sua origem até o século I depois de Cristo. As etapas desse período podem ser simplificadas no seguinte esquema:

SISTEMA DAS 12 TRIBOS	MONARQUIA UNIDA	MONARQUIA DIVIDIDA	REINO DE JUDÁ (no Sul)
- libertação do Egito e das Cidades-Estado	(Saul, Davi, Salomão)	(Reinos de Judá e Israel)	- domínio assírio no Norte
1250-1010 a.C.	1010-931 a.C.	931-722 a.C.	722-586 a.C.

COLÔNIA BABILÔNICA	COLÔNIA PERSA	DOMÍNIO GREGO	DOMÍNIO ROMANO
- época do exílio	- liderança dos sacerdotes em Jerusalém	- revolta dos Macabeus	- importância do Templo e dos sacerdotes • Aparecimento de Jesus
586-538 a.C.	538-331 a.C.	331-63 a.C.	63 a.C.-30 d.C.

1. Jesus é israelita

É fato incontestável que Jesus fez parte do povo cuja longa história acabamos de percorrer. Em suas veias e cultura vibravam as mesmas alegrias e tristezas, esperanças e riscos, os mesmos sentimentos de liberdade e a mesma repulsa à dominação. Viveu num ambiente onde, desde criança, conheceu histórias sobre Moisés e os Juízes, sobre Davi e Salomão, sobre os corajosos profetas dos séculos oitavo e sétimo, sobre a experiência amarga do exílio e as dominações sucessivas, sejam internas, sejam externas. Sem dúvida, como todo verdadeiro israelita, preservava na memória as histórias mais antigas sobre a origem do seu povo: a luta contra o Egito e as cidades-Estado por parte de um grupo de agricultores, pastores e inconformados, que desejavam formar uma sociedade alternativa dentro do território em que ele agora vivia. Jesus sabia que tinha sido dessa luta que surgira o povo do qual ele agora também faz parte. Ele pertencia ao povo de Israel, que tinha como missão levar adiante o projeto de seu Deus: Javé. Ele participava intensamente das tradições do seu povo.

2. Jesus viveu na Palestina do século I

Seu povo já percorrera um longo caminho na história, e agora vivia dentro de condições reais nas quais ele também estava imerso. Os soldados romanos percorriam vigilantes seu país para não deixar surgir nenhuma subversão. Os filhos de Herodes governavam, submissos ao poder imperial, a região onde ele crescera: a Galiléia. Ele conhecia a grandiosidade do Templo reconstruído por Herodes e a importância religiosa, econômica e ideológica que exercia sobre o povo. Ouvia falar e vivia longe dos saduceus e do alto clero por ocasião de suas idas a Jerusalém, durante as grandes festas. Participava das instruções dos escribas e fariseus que educavam o povo nas sinagogas, mas ao mesmo tempo mantinham uma distância arrogante. Conhecia de perto o zelo patriótico de camponeses galileus que queriam a todo custo expulsar os romanos, tomar Jerusalém e o Templo, e aí instalar um rei que fosse justo como Davi e corajoso como Moisés. Via com os próprios olhos a desgraça cada vez maior do "povo da terra", que esperava alguém ou algo que lhe desse maior dignidade. Percebia que grande parte de seus compatriotas e imigrantes viviam em condições miseráveis, sem perspectiva nenhuma de serem gente como os outros. Tradições religiosas diferentes forneciam um quadro ambíguo de luzes e trevas, caminhos e atalhos.

É com toda a história desse povo dentro de si que Jesus, um dia, começou a percorrer o país e trazer esperanças.

3. Ações e reações de Jesus

Neste momento, centenas de perguntas vêm à nossa cabeça. Onde Jesus nasceu? Ele era pobre, rico, ou remediado? De família legítima ou ilegítima?

Quando iniciou sua prática, Jesus tomou partido? Quem ele defendia, e quem criticava? Ele era de fato subversivo, ou não se meteu em política? Como é que ele enxergava a religião do seu povo? O que ele pensava da dominação romana sobre seu povo? Como reagiu a isso? Qual era o teor de seus ensinamentos e de sua prática? O que ele, afinal, pretendia?

Por que Jesus morreu? Quem o matou? O que ele exigiu de seus seguidores? Afinal, Jesus queria ou não mudar as coisas que aí estavam? Como? Ele trouxe alguma contribuição original?

Ler a história com fé

Para nós, Jesus é o Filho de Deus encarnado. Saber o que ele fez e ensinou é aprender o que o próprio Deus quer, como ele age dentro da história e qual é o seu projeto, o seu plano. Saber as tradições de seu povo que Jesus valorizou é saber o que significa o Reino dos Céus e sua justiça.

Onde encontrar resposta para isso? Certamente os Evangelhos nos fornecem o melhor caminho para conhecermos a proposta de Jesus, que é o projeto de Deus Pai.

ÍNDICE

Impresso na Gráfica de Edições Paulinas - 1989
Via Raposo Tavares, Km 18,5 - 05550 SÃO PAULO